Is as an Naigín i mBaile Átha Cliath do Ré Ó Laighléis. Ghlac sé bunchéim in Ollscoil na hÉireann Gaillimh (1978) agus iarchéimeanna san Oideachas i gColáiste Phádraig agus Boston College, Massachusetts, áit a bhfuil sé cláraithe mar Shaineolaí Comhairleach sa Léitheoireacht. Ba mhúinteoir é i Scoil Iognáid na Gaillimhe idir 1980–92.

Ó 1992 i leith tá cónaí air sa Bhoireann, Co. an Chláir, áit a bhfuil sé i mbun pinn go lánaimseartha. Tá cáil air as a dhrámaí do dhaoine óga agus tá Craobh na hÉireann sa scoildrámaíocht bronnta air sé uair, chomh maith le Duais Chuimhneacháin Aoidh Uí Ruairc a bheith gnóthaithe aige trí uair. *Aistear Intinne* (Coiscéim, 1996) is teideal dá shainsaothar drámaíochta.

Ach, is mar scríbhneoir úrscéalta agus gearrscéalta, idir Ghaeilge agus Bhéarla, is fearr atá aithne ar an Laighléiseach. Tá saothair leis foilsithe i nGaeilge, Béarla agus Fraincis agus go leor dá chuid aistrithe go hIodáilis, Gearmáinis, Gaeilge na hAlban, Danmhairgis agus eile. Scríobhann sé don déagóir agus don léitheoir fásta araon agus tá iliomad duaiseanna Oireachtais gnóthaithe aige sna genres éagsúla. Bronnadh Duais Chreidiúna an Bisto Book of the Year Awards ar shaothair leis faoi dhó. Ghnóthaigh sé NAMLLA Award Mheiriceá Thuaidh i 1995 agus bronnadh an European White Ravens Literary Award air i 1997. Ainmníodh saothair leis dhá uair do Dhuaiseanna Liteartha *The Irish Times*. I 1998 bhronn Uachtarán na hÉireann, Máire Mhic Giolla Íosa gradam An Peann faoi Bhláth air. Ba é Scríbhneoir Cónaitheach Chomhairle Chontae Mhaigh Eo i 1999 agus ceapadh é ina Scríbhneoir Cónaitheach d'Ollscoil na hÉireann, Gaillimh i 2001.

I 1998 ainmníodh an leagan Gaeilge dá úrscéal *Hooked* (MÓINÍN), mar atá *Gafa* (Comhar, 1996) ar Churaclam Sinsearach Thuaisceart na hÉireann agus ar Churaclam na hArdteiste ó dheas.

Tugann an Laighléiseach cuairteanna ar scoileanna faoi Scéim na Scríbhneoirí sna Scoileanna. Bhí sé mar chnuasaitheoir agus eagarthóir ar *Shooting from the Lip* (Comhairle Chontae Mhaigh Eo, 2002), arbh iad déagóirí as scoileanna éagsúla Chontae Mhaigh Eo a scríobh. Tá sparánachtaí sa litríocht bronnta air trí uair ag an gComhairle Ealaíon. Ní ball d'Aosdána é.

I 2004 foilseoidh MÓINÍN an t-úrscéal is déanaí óna pheann, mar atá *The Great Book of the Shapers – A Right Kick-up in the Arts.*

Leis an Údar céanna

Bolgchaint agus scéalta eile (MÓINÍN, 2004)
Chagrin (Cló Mhaigh Eo, 1999)
Punk agus scéalta eile (Cló Mhaigh Eo, 1998)
Ecstasy agus scéalta eile (Cló Mhaigh Eo, 1998)
An Taistealaí (Cló Mhaigh Eo, 1998)
Stríocaí ar Thóin Séabra (Coiscéim, 1998)
Cluain Soineantachta (Comhar, 1997)
Aistear Intinne (Coiscéim, 1996)
Gafa (Comhar, 1996)*
Sceoin sa Bhoireann (1995)*
Ciorcal Meiteamorfach (1991)*

Heart of Burren Stone (MÓINÍN, 2002)
Shooting from the Lip (Cnuas. & Eag.)
(Comhairle Chontae Mhaigh Eo, 2002)
Hooked (MÓINÍN, 1999)
Terror on the Burren (MÓINÍN, 1998)
Ecstasy and other stories (Ais.)
(Poolbeg, 1996)*

Ecstasy agus sgeulachdan eile (Ais.)
(CLÀR, 2004)
Ecstasy e altri racconti (Ais.)
(MONDADORI, 1998)

* Cearta iomlána na saothar seo fillte ar an údar.

GOIMH
agus scéalta eile

Ré Ó Laighléis

MÓINÍN

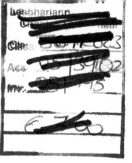

An Chéad Chló 2004, MÓINÍN
Loch Reasca, Baile Uí Bheacháin, Co. an Chláir, Éire
Ríomhphost: moinin@eircom.net

 Aithníonn MÓINÍN tacaíocht airgid
Bord na
Leabhar   Bhord na Leabhar Gaeilge.
Gaeilge

Tá taifead catalóige i leith an leabhair seo ar fáil
i Leabharlann Náisiúnta na hÉireann agus i leabharlanna
éagsúla Ollscoileanna na hÉireann.

Tá taifead catalóige CIP i leith an leabhair seo ar fáil
i Leabharlann na Breataine.

ISBN 0-9532777-4-7

Arna phriontáil agus cheangal ag Clódóirí Lurgan,
Indreabhán, Co. na Gaillimhe

Leagtha i bPalatino 11/15pt

Foilsíodh *Greim* ar 'Feasta', Bealtaine 2002.

Foilsíodh *Feall* ar 'Gaelscoileanna', Samhain 2003.

Bronnadh duais 'An Gearrscéal is Fearr do Dhéagóirí i Mionteanga'
ar *Greim* ag Féile Litríochta NAMLLA, USA, 2003.

Eagarthóireacht agus Clóchur le Carole Devaney
Dearadh Clúdaigh le Alanna Corballis

CLÁR NA SCÉALTA

Don Athair Mícheál Mac Craith
agus Bhríd Nic Dhomhnaill
— Laochra beirt

GOIMH

GOIMH

Í gleoite seachas an ghoin úd ar a haghaidh. Dath a cnis ar dhath na buí-olóige, nó níos dorcha ná sin. Sea, níos dorcha. Níos gaire don bhuí-dhonn, dáiríre. Agus maidir le dathúlacht, cá bhfágfá í! Ní chasfá chun breathnú ar an spéirbhean b'iomráití ar domhan agus Yolana ar an láthair. Yolana — 'Fís na hAilgéire', mar a thugann a leannán Eoin uirthi. Eoin! 'S gan focal den bhréag sa chur síos céanna aige. Í ard caol deachumtha. A déada geala glioscarnacha mar lóchrann i lár doircheacht a haghaidhe. A súile donna mealltacha, iad mór bíogúil beo. Spéirbhean, gan aon agó. 'S gan í ach seacht mbliana déag d'aois. Ardaíonn sí a lámh leis na scríoba ar a leiceann agus í ina suí anois go gruama i gceann de sheomraí ceistiúcháin na ngardaí. Seomra a trí. Í ina haonar.

Seomra a dó. "Agus cá raibh tú nuair a thug tú faoi deara go raibh an bráisléad imithe?" An Garda Caoimhe Ní Chionnaith a chuireann an cheist ar Naomi, iar-leannán Eoin.

"Dúirt mé leat faoi dhó cheana cá raibh mé."

"Tuigim sin, a Naomi, ach mura mhiste leat, tá mé ag cur na ceiste arís ort. Cá raibh tú?"

"Seo agat más ea, den trí huair — agus den uair

11

dheireanach, bíodh a fhios agat — bhí mé ar urlár an damhsa."

"Urlár an damhsa! Sa dioscó?"

"Bhuel, céard eile ach sa friggin' dioscó! Ní dóigh leat gur sa tséipéal a bhí mé ag damhsa, an dóigh?"

Breathnaíonn Caoimhe Ní Chionnaith go géar ar Naomi. Fonn uirthi bos a tharraingt ar an éadan uirthi, ach tá a fhios aici nach féidir sin a dhéanamh. Rialacha agus mar sin de.

Tuairim ag Caoimhe Ní Chionnaith céard í fírinne an scéil seo ach a fhios aici óna traenáil agus ón gcúig bliana atá curtha di mar bhall den Gharda Síochána nach ann d'fhírinne ar bith gan chruthú. É cruthaithe cheana féin go raibh bráisléad Naomi i mála láimhe Yolana. É cruthaithe gur thíos in íochtar an mhála a bhí sé — é fillte i naipcín páipéir a raibh lógó an chlub oíche air. É cruthaithe gur shiúil an tAilgéireach óg agus Eoin as an dioscó agus an mála faoina hascaill ag Yolana. Ach, ar fáth éigin ina hintinn istigh, ní ghéilleann Caoimhe Ní Chionnaith don fhianaise sin uile mar chruthú ar rud ar bith. Amharcann sí arís ar Naomi.

"Agus ceapann tusa, a Naomi, gurb í Yolana a ghoid uait é?" arsa an garda.

"Níl aon cheap faoi. Nach bhfuil fianaise do shúile agat ach an oiread liom féin. Is cinnte gurb í an goirmín beag lofa a thóg é, díreach mar a thóg sí na nithe eile roimhe seo."

"Anois, caithfidh mé fainic a chur ort faoi úsáid an

chineál sin teangachais," arsa an garda, agus tuin láidir uirthi i gcur na fainice céanna. "Níl sé inghlactha — de réir dlíthe na tíre gan trácht go fiú ar ghnáth-chúirtéis shibhialta — go gcuirfí síos ar dhuine ar bith sna téarmaí sin." Pus ar Naomi, ansin ciúnas roinnt soicindí. "Anois, a Naomi, luann tú 'nithe eile' a bheith imithe. Cén nithe eile atá i gceist agat?"

"Sea, nithe eile. Fáinne, oíche éigin tamall roimhe seo, agus slabhra airgid le cros air oíche eile fós."

"Fáinne agus slabhra le cros air, a deir tú! Agus cén fáth nár tháinig tú chugainn fúthu sin cheana?"

"Níor thuig mé cé a rinne an ghoid go dtí anocht, sin é an fáth. Níor thuig mé é go dtí go ndúirt Siobhán liom go bhfaca sí Yolana ag cur an bhráisléid isteach ina mála."

"Siobhán?"

"Sea, Siobhán, mo chara. Labhair an Garda Ó Ceallaigh léi ar ball beag. Ghlac sé ráiteas uaithi i dtaobh eachtra na hoíche anocht."

"Ó sea, ghlac. Ach ní cuimhin liom an cúiseamh sin a fheiceáil sa ráiteas aici, a Naomi."

"Bhuel, cuirigí ceist arís uirthi, más ea, agus deimhneoidh sí go bhfuil sé fíor."

"Bhuel, níl sí anseo faoi láthair. Scaoil muid abhaile í i ndiaidh di an ráiteas a thabhairt, tá uair a' chloig ó shin."

"Tá sí imithe!" arsa Naomi, mórán léi féin, é soiléir uirthi go mbaineann sé siar aisti go bhfágfadh a cara ansin í ina haonar gan slán a rá léi.

"Sea, imithe. Ach inis seo dom," arsa an garda óg, agus í ag aireachtáil go bhfuil snáth fianaise á fhorbairt aici, "nach n-aireofá na seoda á mbaint díot dá mbeadh duine á ngoid uait?" Caoimhe cinnte de go nochtóidh freagra na ceiste sin go leor den mhímhacántacht a chreideann sí a bheith taobh thiar de chladhaireacht Naomi.

"Sea, d'aireoinn, ach amháin nach gcaithim iad agus mé ag damhsa. Baol ann go dtitfidis díom agus go gcaillfinn ar fad iad ar an dóigh sin. Bainim díom iad, mar a dhéanann go leor de na cailíní eile, agus fágaim le cara ag an mbord iad. Agus sin é go díreach a rinne mé leis an mbráisléad an babhta seo."

"Mmm! Agus glacaim leis gurb í Siobhán an cara sin sa gcás seo?"

"Sin é é go díreach. Bhí Siobhán i bhfeighil an bhráisléid go dtí gur éirigh sí chun dul amach go dtí an leithreas."

"Aha! Agus d'fhág sí ina diaidh ar an mbord é?"

"Bhuel, nach tú an garda beag cliste anois!"

Searbhas agus sotal an ráitis sin ag cur le fearg Chaoimhe Uí Chionnaith agus í ar a dearg-dhícheall guaim a choinneáil uirthi féin.

Seomra a trí. 3.30a.m. Yolana ina haonar i gcónaí. Díomá an domhain uirthi nár fhan Eoin ina cuideachta. Leithscéal aige a shíl sise a bheith suarach faoi go bhfuil air freastal ar léacht san ollscoil ar a naoi ar maidin. É deacair uirthi a chreidiúint gur tábhachtaí léacht ar réimeas Adolf Hitler ná an cruachás ina bhfuil sise. Ach ní fhéadfadh sé é a chailliúint agus na scrúduithe ag druidim leis, a dúirt sé. Sea, é lag suarach mar leithscéal i dtuairim Yolana. É imithe le trí cheathrú d'uair, nó níos faide, b'fhéidir, ag an bpointe seo. Sea, mórán ag an am céanna le himeacht Siobhán.

Imní mhór ar Yolana faoi mar a rachaidh an tarlúint seo i bhfeidhm ar a stadas mar eachtrannach sa tír. Í féin agus a tuismitheoirí in Éirinn le breis agus bliain anuas agus breith le tabhairt go luath ar a n-iarratas ar stadas buan. Fonn chaoineadh ar Yolana. Í spíonta i ndiaidh chruatan an cheistiúcháin a cuireadh uirthi ar ball beag. Dá mhéid a chuimhníonn sí ar easpa tacaíochta Eoin is ea is mó nach gcreideann sí gurb amhlaidh atá. Í ag déanamh iontais de nár aithin sí mianach úd na mídhílseachta ann go dtí seo.

3.40a.m. An teilifís ar siúl in árasán Eoin. Nó video chun a bheith iomlán cruinn faoi. Éadan Oscar Schindler á theilgean ar an scáileán. Eoin féin agus comrádaí leis ag breathnú air. Iad ag ól beorach. Canna Heineken eatarthu beirt. Iad á shíneadh dá chéile gach anois is arís.

Atmaisféar drochthuarach sa seomra céanna. Na ballaí clúdaithe le postaeirí. Iad aisteach mar phostaeirí — an-aisteach ar fad. Trom, dorcha, gránna. Ceann mór den Ku Klux Klan ar an mballa díreach taobh thiar den teilifíseán. Agus, ar dheis air sin, íomhá mór d'Adolf Hitler agus cros cham an Swastika sa chúlra air. Agus, thíos faoi íomhá Hitler, na focail *'Ich liebe dich, mein Fuhrer'*. Agus, ar bhalla eile fós, manglam de phictiúirí de Ceaucescu agus Milosovich agus Stalin, agus tíoránaigh eile nach iad. 'S ansin an tríú balla: é go hiomlán tugtha do na focail atá scríofa air. Na focail chéanna péinteáilte go dána i ndubh agus i ndearg, sileadh péinte ag bun gach litir mar a bheadh fuil ag drithliú leis. 'Cosc ar eachtrannaigh' in áit amháin, 'Darkies Out' in áit eile, 'Nigger-hands off our jobs' in áit eile fós. Agus, ar deireadh, an ceathrú balla. Éiríonn Eoin agus tagann a fhad leis sin.

3.45a.m. Stáisiún na nGardaí. An bheirt bhan óg á gcoinneáil sna seomraí ceistiúcháin go fóill. Caoimhe Ní Chionnaith ag a deasc. Í ag leath-bhrionglóideach agus í ag méiseáil leis an bpeann ar an leathanach atá os a comhair. Yolana, Naomi, Siobhán agus Eoin scríofa air. Ainm amháin ag gach coirnéal den chearnóg atá tarraingthe ar an bpáipéar aici. A peann á rith arís agus arís eile ar línte na cearnóige, í ag stopadh soicind nó dhó ag gach coirnéal chun breathnú ar an ainm, ansin leanann uirthi ar líne eile fós go sroiseann sí an chéad ainm eile. Snáth ceangailteach éigin sa bhfráma á chuardach aici. Sracfhéachaint aici ó am go chéile ar ráitis Naomi agus Yolana. Ansin ar dhá ráiteas Shiobhán agus Eoin. 'S as sin, ar ais arís chun na cearnóige.

Tamall den chleachtas sin ag an ngarda óg nuair a luíonn a súil tamaillín beag níos faide ná an gnás ar ainm Eoin. 'S ansin tamaillín beag níos faide ná an gnás ar ainm Shiobhán leis. Rud éigin fúthu beirt ag dó na geirbe ar Chaoimhe Ní Chionnaith. Gob a pinn fanta anois ar choirnéal Shiobhán agus, leis sin, ar fáth éigin nach bhfuil iomlán soiléir di féin, go fiú, tarraingíonn sí traslíne dhána throm ó ainm Shiobhán go hainm Eoin. "Sin é an ceangal," ar sí faoina hanáil. Bonn láithreach ardaíonn an garda ráiteas Eoin athuair, aimsíonn an uimhir theileafóin air, ansin éiríonn agus téann go deifreach chun cainte leis an nGarda Ó Ceallaigh.

3.50a.m. Árasán Eoin. Eoin féin ina sheasamh os comhair an cheathrú bhalla anois. A thuilleadh postaeirí den chineál céanna greamaithe den bhalla ach ina láir tá scrín de shórt. Boirdín beag adhmaid brúite in aghaidh an bhalla san áit a bhfuil an scrín, agus coinnle ar lasadh air. Solas na gcoinnle á theilgean féin ar thaispeántas an bhalla, é á scairdeadh féin go heitleach neamhréidh. Scáthanna diamhra dorcha á gcruthú ag an solas agus é ag damhsa go pramsach neamhchinnte ar an uile ní idir phostaeirí agus ghrianghraif.

Grianghraif! Is i dtreo na ngrianghraf a dhruideann Eoin anois. Meangadh maol mailíseach de chineál ar a bhéal. Dhá ghrianghraf. Agus, leis sin, sánn sé biorán díreach trí leiceann Yolana sa chéad ghrianghraf díobh. É sáite díreach san áit ar scríobhadh í sa scliúchas a bhí ann níos luaithe sa dioscó. Ansin díríonn sé a shúile ar an dara pictiúr: Naomi ag breathnú amach air agus miongháire aici leis. Agus ar a leiceann-sa cheana féin tá dhá bhiorán sáite ag Eoin: ceann acu a bhfuil fáinne óir

17

crochta air, agus slabhra airgid le cros air ar crochadh ar an dara biorán. Briseann meangadh Eoin amach ina gháire oscailte agus caitheann sé siar a chloigeann. Leis sin, tagann a chomrádaí chuige, síneann a dá lámh suas faoi na hascaillí air agus pógann sí ar chúl an mhuiníl é.

"Féach iad, a Shiobhán, a chroí," arsa Eoin, "níl tuairim ar domhan acu. Nach iad na hóinseacha iad. Yolana, an goirmín galánta, agus an bobarún eile úd de bhaothbhean, Naomi." Agus druideann sé amach ó Shiobhán. Casann sé anois i dtreo phostaeir an Fuhrer, síneann amach a lámh go hard caoldíreach agus buaileann dhá chúl a bhróga ar a chéile. "Heil Hitler," ar sé, agus scairteann siad beirt amach ag gáire. Leis sin, buaileann an fón go láidir bagrach agus, de gheit, breathnaíonn an bheirt chneamhairí ar a chéile.

CLAONFHÉACHAINT

CLAONFHÉACHAINT

'Dúirt bean liom go ndúirt bean léi go ndúirt bean éigin eile léi-se ...'

An ráiteas seanchaite sin ag pramsáil i gcloigeann Réamoinn istigh agus é ag faire ar an mbeirt óg ag ceann eile an charráiste. Sínigh, síleann sé, le breathnú orthu. Ach é deacair air a bheith cinnte de sin gan stánadh orthu i gceart. Is i ngeall ar an gcaoi a bhfuil sé ag faire orthu a thagann an 'dúirt bean liom etc.' chun a chuimhne. Féachaint chlaon atá ann, dáiríre. A chloigeann brúite in aghaidh fhuinneog na traenach agus scáil na beirte thíos ag ceann an charráiste á frithchaitheamh i bhfuinneog eile agus á teilgean as sin isteach sa phána gloine a bhfuil a chloigeann brúite leis. Ní chuidíonn sé leis an bhfaire ach an oiread go bhfuil braonacha na báistí ag drithliú leo go caismirneach ar an taobh amuigh den ghloine. Sea, bealach an-amscaí ar fad le bheith ag iarraidh ciall a dhéanamh de radharc ar bith. 'Dúirt bean liom ...' go deimhin, ach castacht na físe a chur in áit na bhfocal.

An traein ina seasamh anois agus mórsheisear á fágáil. Gan duine ar bith ag teacht ar bord. Doirse dúnta arís agus, díreach agus an traein ar tí bogadh ar aghaidh athuair, breathnaíonn Réamonn síos i dtreo na beirte.

Sea, Sínigh, is dóigh leis, nó murab ea, níl dóthain eolais aige le go n-aithneodh sé an difríocht idir Síneach agus duine as tír ar bith eile ar an taobh sin den domhan. Iad ina suí trasna óna chéile ar shuíocháin dhifriúla. An pasáiste ina bhearna eatarthu. Iad casta óna chéile leis, 's gan focal astu.

Réamonn ag cur suntais anois sa chailín. Í naoi mbliana déag d'aois, b'fhéidir. Nó fiche, seans. Nó b'fhéidir cúig bliana fichead, cá bhfios — é deacair a rá i gcónaí le daoine as tíortha an Oirthir. Ach cuma ghruama uirthi. An-ghruama. Amharc anois ag Réamonn i dtreo an fhir. A shúile-se íslithe agus cuma an duaircis airsin freisin ach an oiread leis an gcailín. É chomh deacair céanna a aois-se a mheas. Agus, leis sin, ardaíonn an Síneach fir na súile agus breathnaíonn caoldíreach i dtreo Réamoinn. Amhail is go bhfuil a fhios aige go bhfuil an tÉireannach tar éis a bheith ag stánadh air. Íslíonn Réamonn a dhearc féin anois agus tosaíonn ar útamáil go ciotach leis na rósanna atá á n-iompar aige.

Trí rós. Iad dearg. Dearg mar atá beola an chailín Sínigh thuas. Dearg mar atá beola a leannán féin, Róise. Iad á mbreith leis aige go Róise. Síthofráil — bronntanas de ghrá na síochána — i ndiaidh dóibh a bheith in adharca a chéile le cúpla lá anuas. Iad ar an bhfón le chéile tráthnóna agus an uile ní ina cheart eatarthu arís. Í chun a bheith roimhe ag Stáisiún DART na Seanchille. An rós thar bláth ar bith eile is ansa le Róise. An rós a bhéarfaidh Réamonn chuici. Trí cinn díobh.

Breathnaíonn Réamonn isteach san fhuinneog arís agus aimsíonn íomhá na mná óige thuas. Í chomh gruama céanna i gcónaí. An fear óg faoina dhearc san fhuinneog anois aige 's gan feabhas dá laghad ar a aoibh-se ach an oiread. Ansin cor den chloigeann ag an Síneach fir agus casann sé beagáinín beag i dtreo an chailín. Casann sise uaidh rud beag eile fós agus tá a srón buailte anois in aghaidh na fuinneoige atá taobh léi. Í dian diongbháilte sa neamhaird a dhéanann sí dá compánach. Cromann seisean trasna an phasáiste, síneann lámh chuici, leagann ar bhícéips na deasóige uirthi é agus fáisceann go séimh. Croitheadh díbeartha aisti-se, leathchasadh ina threo, brúnn sí lámh an fhir amach uaithi go grod, ansin casann go ceanndána i dtreo na fuinneoige athuair. A srón bán-fháiscthe in aghaidh na gloine anois. Cruinníní báistí lasmuigh ag rith an fhuinneog síos agus deora ina mirlíní á sileadh ar éadan na hógmhná istigh. Ní bheadh a fhios sin ag Réamonn féin murach go n-ardaíonn sí a lámh chun an fhliuchras a chuimilt dá leiceann.

Fear na beirte ag teannadh leis an gcailín athuair. A ionad féin á thréigean aige agus é anois ina shuí ar chiumhais an tsuíocháin ar a bhfuil a leannán ina suí. Leagann sé a smig ar ghualainn an chailín agus tosaíonn ar chogar éigin a chur ina cluas. Ach casann sise go borb ina threo agus radann go tobann de bhladhm bhascthach fhoclach air. I Sínis a thugann sí faoi. Sraith chúng fhoclach a dhamhsaíonn go heitleach ar an aer —

na focail á seoladh féin a fhad le Réamonn, agus thairis leis. Ach ní thuigtear a dhath de ach amháin ag an mbeirt féin. Nimh san amharc a chaitheann sí lena leannán, ansin rian den déistin á mheascadh leis an nimh, 's ansin iompaíonn sí i dtreo na fuinneoige athuair.

Ina ainneoin féin a bhreathnaíonn Réamonn ina dtreo. Éadan na mná brúite in aghaidh na fuinneoige, cloigeann an fhir cromtha. Aithníonn Réamonn ar aghaidh an fhir go bhfuil na súile á bhfáisceadh aige, go bhfuil sé ar a dhícheall gan ligean do na deora titim uaidh. Iad chomh fáiscthe sin nach bhfuil in oscailtí na súl ach dhá líne fhada chúng agus na deora ar chiumhais na liopaí gan titim. Ach titeann.

Céard é atá déanta aige uirthi ar chor ar bith? Nó aici-se airsin, b'fhéidir. Airíonn Réamonn féin an phian. É féin ag fulaingt dóibh, na strainséirí seo a thit i raon na súl air. Agus ciontach. Airíonn sé ciontach faoi nach bhfuil sé féin faoi néal an bhróin, faoi bhrat na trioblóide. Agus breathnaíonn sé síos arís ar na rósanna atá á gcrochadh leis aige. Sea, rósanna do Róise, a raibh seisean in achrann léi go dtí inniu. 'S féach anois iad — iad ar mhuin na muice arís, é féin agus Róise.

Turraing leithscéalach na traenach ag teacht chun stad. Stáisiún Dhún Laoghaire. Duine eile fós á fágáil 's gan duine ar bith ag teacht ar bord. Gan sa charráiste anois ach Réamonn agus an bheirt. 'S ansin an traein ag bogadh léi fós eile. Go mall-mall a bhogann sé. An fear óg thuas gan mhaith lena bhfuil de thrína chéile air. Mion-smeacharnach uaidh. Faoi éigean a amharcann Réamonn ar an bhfear bocht. B'fhearr leis i bhfad an traein a bheith plódaithe 's gan radharc ar bith a bheith aige ar an gcréatúr. Agus ise taobh leis 's í dlúite leis an bhfuinneog i gcónaí. Í dúnta amach air ar an uile bhealach. Cén fáth nach ngéilleann sí dó beagáinín beag, a shíleann Réamonn. Rud ar bith a bhainfeadh an troime chroí den ainniseoir, cuma a bhfuil nó nach nach bhfuil déanta aige. Más é, go deimhin, a rinne an drochbheart uirthise.

Réamonn á rá leis féin éirí as an bhfaire. Is mó gurb í an truamhéala ná an fhiosracht a chuireann air a bheith á mbreathnú ag an bpointe seo. É á bhrú féin, á throid féin anois chun an stánadh a bhriseadh. An uaisleacht ann ar tí an lámh in uachtar ar fad a fháil ar ghnéithe úd na truamhéala agus na fiosrachta. É ar tí na súile a athdhíriú ar na rósanna atá faoi ghreim ina dheasóg aige, nuair a tharlaíonn sé: toradh an fhrustrachais, toradh na truamhéala, toradh an bhrisidh chroí a chuireann ar an Síneach fir casadh i dtreo a leannán. Suíonn sé taobh léi athuair, leagann lámh ar ghualainn uirthi, 's ansin an lámh eile leis ar uilleann an chailín. Ansin, déanann sé iarracht í a chasadh chuige.

Gan aon choinne leis a chasann an cailín a cloigeann i dtreo an fhir. Leis sin, caitheann sí seile leis — é lom glan isteach sa bhaithis air. Plab nimhneach naimhdeach neamaiteach. Agus tagann reo orthu beirt. Reo ar

Réamonn leis agus é ag faire orthu. Pian ina chroí. Pian ina chroí nach bhféadfadh a bheith aon phioc chomh pianmhar lena n-airíonn siadsan beirt ina gcroíthe-san.

Reo chúig soicind, deich soicind, fiche soicind, b'fhéidir — ní féidir é a mheas — nuair a phléascann an bheirt amach ag caoineadh. Gol gan srian a gholtar. Ise casta arís i dtreo na fuinneoige agus tréine an tsilidh uaithi ag déanamh comórtais le bisiúlacht na báistí ar an taobh eile den bpána gloine. Eisean anois ag breathnú díreach amach roimhe, seile a leannán á síneadh féin go greamaitheach ar a éadan síos, á meascadh féin leis na deora. Agus Réamonn thíos uathu beirt i gcónaí. Pian úd a chroí ina harraing ghéar ath-imeartach agus é ag breathnú orthu. D'fhéadfadh sé nach bhfuil de bhunús leis an achrann seo atá eatarthu ach rud beag éigin den chineál ba chúis leis an easaontas idir é féin agus Róise, síleann sé. 'Gus amharcann sé ar na rósanna anois. Trí cinn díobh. Trí cinn díobh do Róise féin.

Turraing na traenach ag teacht chun stad fós eile agus iontas ar Réamonn nuair a bhreathnaíonn sé amach an fhuinneog go bhfuil Stáisiún na Seanchille sroiste aige cheana féin. Flosc de chineál air agus é á bhailiú féin, idir mhála agus rósanna. Rúid faoi anois agus é ag deifriú leis an pasáiste síos. Ní cuimhin leis an traein á stopadh i nDeilginis ná i gCill Inín Léinín ar chor ar bith. Go deimhin, ní cuimhin leis Glas Tuathail ná Gleann na gCaorach ach an oiread. Ró-thógtha le cás na gcréatúr thíos a bhí sé, síleann sé. Na créatúir thíos! É ag druidim ina dtreo anois. Cloigeann an tSínigh fhir cromtha agus é ag teannadh leo. Í féin casta leis an diabhal úd d'fhuinneog i gcónaí.

De spadhar a thagann an smaoineamh chuige agus é ar tí imeacht an doras amach. Spadhar mire, déarfaí, b'fhéidir. Spadhar iontais, seans. Cá bhfios. Ach i gcroí Réamoinn istigh, airíonn sé gur den mhaitheas thar aon ní eile é an spadhar seo a bhuaileann é. Casann sé i dtreo na beirte agus tarraingíonn aird na mná óige air féin ar dtús. Í ag breathnú air le hiontas, na deora ag sileadh an dá leiceann anuas uirthi. Néal na buartha ar a súile áille donna. Agus bronnann sé ceann de na rósanna uirthi.

Den chéad uair in imeacht an aistir feictear rian den áthas ar éadan na hógmhná. An rian is lú, go deimhin, ach is rian é mar sin féin. Ansin casann Réamonn i dtreo an fhir agus síneann chuige an dara rós. Glacann an Síneach an rós ó Réamonn agus leathann miongháire ar a bhéal. Agus, d'ainneoin é a bheith ina shuí i gcónaí, déanann sé umhlú de chineál leis an Éireannach. Agus, leis sin, as go brách le Réamonn doras na traenach amach.

Róise ar an ardán ag fanacht air nuair a thuirlingíonn sé den traein. Tagann sí chuige le fonn agus beireann barróg mhór air i lár an ardáin. An traein ag bogadh leis i dtreo Bhré cheana féin nuair a bhreathnaíonn Réamonn uaidh thar ghualainn Róise agus é á fháisceadh chuige. Miongháire anois ar a bhéal nuair a chlaonann sé a cheann agus feiceann uaidh sa charráiste istigh an cailín Síneach. An rós druidte faoi na polláirí agus a cloigeann neadaithe go suaimhneach ar ghualainn a leannán aici.

FEALL

FEALL

Tiomnaithe do Ghaelscoileanna don cheiliúradh 30 bliain

Go fiú sula n-ardaíonn Illi Hagi an barr glé plaisteach den bhosca lóin tá sé in ann an giota beag páipéir a fheiceáil istigh. É ina shuí ansin ar bharr na gceapairí, é fillte, mar a bhíonn go minic. Agus, nuair nach nóta a bhíonn ann, is rud beag eile é — seiftín grámhar éigin ag Adriana i gcónaí chun méid a ceana air a chur in iúl dó. Leathann meangadh an tsásaimh ar a bhéal nuair a osclaíonn sé agus léann. É scríofa ina theanga dhúchais féin — An Rómáinis: 'Mo chroí 's m'anam thú, a Illi, a stóirín — Adri, XXX'.

"Céard chuige an miongháire, a Illi?" Briseann a chomhoibrí, Fiachra Ó Searcaigh, isteach ar rúndacht an cheana le cur na ceiste. É ina shuí ansin taobh le hIlli ar bharr charn na mboscaí pónairí sa seomra stórais cúil, áit a shuíonn siad i gcónaí ag am sosa. Illi rud beag cúthail ar dtús faoi fhreagra a thabhairt, ansin tuigeann sé nach bhfuil aon chúis aige a bheith amhlaidh.

"Seo, léigh tú féin é, a Fhiachra," ar sé, agus síneann sé an nóta chuig an Éireannach groíúil. Ansin scairteann siad beirt amach ag gáire. Caolsheans an lá ab fhearr riamh go ndéanfadh Fiachra ciall ar bith den nóta céanna. A fhios ag Illi nach bhfuil de Rómáinis ag a chara ach an dornán beag focal atá múinte aige dó ó thosaigh siad beirt ag obair san ollmhargadh, tá trí mhí ó shin anois. Obair dhian, obair thuirsiúil, obair nach dtuilleann meas ná an leathmheas féin dóibh siúd a dhéanann. Ach is cuma le hIlli faoi sin go ceann píosa. Tá Adri aige agus, i gceann cúig seachtainí béarfar an chéad pháiste dóibh, agus in imeacht ama aimseoidh seisean post a chinnteoidh saol réasúnta measúil dóibh.

"Seo duit," arsa Fiachra, agus síneann sé an nóta ar ais chuig Illi. "Tá sé chomh maith domsa filleadh ar an obair sula dtosaíonn an bobarún úd de Bhroineach ag cur de faoi mar nach féidir oibrithe maithe a fháil in áit ar bith. Tá's agat mar a bhíonn aige." Agus gan ach an focal deiridh as a bhéal ag Fiachra nuair a chloistear an bainisteoir, é ag doras an tseomra stórais.

"A Shearcaigh, a leisceoirín, tá am an tsosa thart, a bhuachaill."

"By daid! Shílfeá go raibh sé ag cluasaíl orainn ar feadh an ama, huth!" arsa Fiachra, agus léimeann sé anuas bonn láithreach den charn boscaí. "Fan tusa mar atá go fóill, a Illi. Tá cúpla nóiméad eile agatsa fós. Feicfidh mé ar ball tú." Agus bailíonn Fiachra leis.

Croí Illi trom go maith ó tháinig sé chun na hoibre ar maidin. É ar tí an t-árasán a fhágáil nuair a tháinig an bille leictreachais. Bille dúbailte, go deimhin, arae, ní raibh sé d'achmhainn acu an ceann deireanach a íoc dhá mhí ó shín. Illi ag ceapadh ar feadh an ama go n-éireodh leo beagán d'airgead na seachtaine a chur ar leataobh gach Aoine. Ar an gcaoi sin, faoin am go dtiocfadh an dara bille, bheadh dóthain acu len é a íoc. Ach ní hamhlaidh atá. D'ainneoin dian-iarrachtaí na beirte, tá rud éigin ann i gcónaí a ídíonn an uile phingin a thuilleann sé.

Iad ar gcúl sa chíos chomh maith le roinnt seachtainí anuas. Buíochas le Dia gur tháinig sé ar an mbille leictreachais ar urlár an halla sula bhfaca Adri é. Aon chéad agus caoga seacht euro glan. Aimsíonn sé anois é i bpóca tónach a threabhsair. Huth, nach mbeadh a fhios agat é: aon chéad agus caoga seacht. Go fiú an rabhnáil a rinneadh ar an mbille, is rabhnáil suas é seachas rabhnáil síos go haon chéad agus caoga sé. Méid an bhille féin beagnach scór euro níos mó ná pá na seachtaine a bheadh á bhailiú aige ag deireadh an lae inniu.

Tosaíonn sé ar shonraí an bhille a dhiúl amhail is go mb'fhéidir go bhféadfaí cuid díobh a athrú ar bhealach éigin. An costas a ísliú, seans. É a dhíbirt ar fad — nár dheas sin, go deimhin. A fhios ag Illi mar theifeach a tháinig isteach sa tír go gcaithfeadh sé a bheith níos cúraimí ná an 'gnáthdhuine' maidir le billí a íoc agus araile. Gan cúis ná leithscéal a thabhairt do aon duine a bheith ag géarú air ar fáth ar bith. Ná ar Adri ach an oiread. Na húdaráis, ach go háirithe. Iad beirt dleathach sa tír agus cead dlisteanach oibre ag Illi, ach mar sin féin, ní fhéadfaí a bheith ró-chúramach. Daoine ann a chuardódh cúis ghearáin cuma cé chomh maith agus a bheifeá.

É feicthe ag Adri cheana féin faoi mar nach labhraíonn roinnt de mhná óga an cheantair léi. Iad á rá ar uaireanta go bhfuil a fear céile ag tógáil jab ar chóir a bheith ag oibrí Éireannach. Ar uaireanta eile is measa i bhfad ná sin a deireann siad. Agus Illi féin — níl insint ar na tarcaisní maslacha a chaitear leis go díreach. Ceann faoi bhuíocht a chraicinn, b'fhéidir, nó faoina Bhéarla briste nó aon cheann de mhíle rud eile a thugann leithscéal don té a bhfuil sé de mhailís ina chroí aige an duine atá difriúil a chéasadh.

Ach is é an tagairt dá bhacadradh is mó a ghortaíonn é i gcónaí. 'Hoppy Hagi' á bhéicíl leis go minic. Agus, ar uaireanta eile fós, 'Skippy'. 'S ansin an sciotaíl mheatach úd is gnách leis na daoine sin a dhéanamh. Murach Adri, murach an leanbh atá á iompar ina broinn istigh — linbhín beag Éireannach — tá a fhios ag Dia go dtabharfadh sé faoi na cráiteoirí. Ach ansin, ach an oiread le cás an bhille, cé a bheadh thíos leis ach iad féin.

An bille. Is air sin a thiteann a shúile athuair. A Dhia sna Flaithis, céard a dhéanfadh sé ar chor ar bith? É ar tí na féidearthachtaí a ríomh nuair a chloiseann sé scairt an Bhroinigh:

"Haí, a Yogi, briseadh thart. Fiche tar éis a haondéag, a bhuachaill. Fiche tar éis, a dúirt mé. Sin nuair a bhíonn an lámh mhór ar an gceathair agus an lámh bheag ar …" Agus cloiseann Illi an sciotaíl ag an mBroineach agus ag

duine éigin eile d'oibrithe na háite ag an doras thuas.
É á chrá le tamall anuas go dtugann an bainisteoir Yogi
air. A fhios ag Illi gur le holc a dhéanann sé amhlaidh.
É chomh héasca céanna Hagi a rá ach an toil sin a
bheith ann.

"Coinnigh guaim ort féin, a chroí," a deireann Adri
leis i gcónaí nuair a insíonn sé di faoi chleachtas an
bhainisteora. "Níl ann ach aineolaí, agus is uaisle i bhfad
ná sin tusa, mo Illi álainn Hagi."

"Ar chuala tú mé, a Yogi?" a thagann an dara scairt.
"Tá bean anseo a bhfuil ceann de na boscaí leabhragán
adhmaid úd le hiompar amach dá carr di. Pronto, a
bhuachaill, pronto."

Sánn Illi an bille leictreachais ar ais sa phóca tónach
de dheifir agus léimeann anuas den charn boscaí. A
dhiabhail, a shíleann sé, dá mbeadh deich cent aige ar
gach ceann de na leabhragáin adhmaid sin a d'iompraigh
sé amach go carranna le roinnt seachtainí anuas ní
bheadh bille ar bith ina fhadhb aige.

"Thar am agat, a bhuachaill," arsa an Broineach le
hIlli ar shroisint an tsiopa dó. "An bhean sin thall a
bhfuil na lusanna cromchinn ina baicle aici," ar sé, agus
díríonn sé méar i dtreo na deisce cúirtéise, áit is gnách
leis na custaiméirí a bhfuil leabhair stampaí na
leabhragán acu seasamh. "D'íoc sí as dhá cheann díobh.
Beir amach chuig a carr di iad agus ná caith an lá ina
bhun." Giorraisce na cainte ag dul dian ar an Rómánach
óg ach cuimhníonn sé ar Adri, ar an bpáiste atá le teacht,

agus cuireann cosc ar an bhfearg a airíonn sé istigh.

Sall le hIlli go dtí an tralaí ar a bhfuil boscaí na leabhragán stóráilte. Iad taobh le hionad na mbláthanna. Lusanna an chromchinn ann ina mílte — na bláthanna is ansa le hAdri thar aon sórt eile. Beireann Illi ar cheann de na boscaí, ardaíonn ar a ghualainn é agus tagann a fhad leis an gcustaiméir.

"An treo seo, a bhuachaill," ar sí, í gar do bheith chomh grod leis is a bhí an bainisteoir roimpi. Airíonn Illi an fhearg ag ardú ann arís. Fonn air an diabhal de bhosca a chaitheamh leis an gcustaiméir nó a rá léi é a iompar í féin. Tá a fhios ag Dia nach bhfuil sí mórán níos sine ná é agus gur maith a bheadh sí in ann an rud a ardú agus a chrochadh léi, síleann sé. Adri chun a chuimhne arís eile, agus ansin an bille leictreachais agus, fós eile, cuireann sé an fhearg faoi chois ann féin. Siúlann an bhean óg roimhe agus ise ag bacadaíl léi, í gach pioc chomh bacach le hIlli féin, go deimhin. Illi á leanacht agus náire de chineál air anois gur shíl sé an drochrud fúithi ar ball beag. Ceangal na coitiantachta eatarthu. Ceangal an mhíchumais. Ceangal an bhacadraidh. Ach, mar sin féin, níl fáth ar bith aici a bheith míchúirtéiseach leis ar an dóigh a bhí. Is iomaí duine atá ar leathchois, nó gan cos ar bith go deimhin, a shíleann Illi, agus ní bheidis mímhúinte mar atá sí seo.

"Ansin," ar sí, go borb, doras cúil an chairr ar oscailt aici cheana féin agus í ag síneadh méire ar an áit ar mian léi go gcuirfí an bosca. Tá a fhios ag Illi i rúndacht na hintinne istigh cár mhaith leis féin an bosca a chur. Carr mór galánta aici. Carr den chineál nach bhféadfadh Illi a shamhlú a bheith aige féin an lá ab fhearr riamh.

"Agus tá an dara ceann le tabhairt amach fós agat," ar sí, agus suíonn sí isteach i suíochán an tiomána. Coinníonn Illi srian air féin, bailíonn leis ar ais chun an tsiopa. An frustrachas ag ardú ann. É ag aireachtáil go mb'fhéidir go bpléascfaidh sé má bhrúitear mórán eile é. Baineann sé an dara bosca den tralaí istigh agus tosaíonn ar é a bhreith leis.

"An bhfuil tú ina bhun sin fós, a Yogi?" a chloiseann sé á radadh ag an mbainisteoir leis. Stopann Illi den tsiúl, casann i dtreo an bhainisteora agus amharcann go dána isteach i súile an mhaistín. Cinneadh gasta á ríomh ina intinn, luas na milisoicindí faoi gach céim den gcinneadh céanna: bobarún — masla — frustrachachas — pléascadh — post caillte. Post caillte. Chomh sciobtha sin a tharlódh sé dá dtabharfadh sé cead a chinn don fhonn atá air. Post caillte, 's gan aon teacht aniar i ndán dó. Post caillte 's gan an bille leictreachais íoctha. Post caillte agus Adri álainn trom-torach lena gcéad pháiste.

Diancheangal na súl idir an bheirt fhear i gcónaí. Goimh fhiabhrasach don mhaistín ar gor i gcroí Illi. An teannas á ardú féin san uile bhall dá chorp. An boc eile ag breathnú air agus rian an tsiotgháire air, rian an údaráis, rian na ládasachta. Illi díreach ar tí cead a chinn a thabhairt don fhearg nuair a sheoltar boladh cumhra na lusanna cromchinn ina leoithne ar an aer chuige.

Féachann sé uaidh ar ionad na mbláthanna agus, dá ainneoin féin, briseann ar an stánadh idir é agus an Broineach. Ansin tagann samhailtí chuige agus luas na gaoithe fúthu, mórán mar a bhí ar ball beag: lusanna cromchinn — Adri — bille leictreachais — leanbh — 'coinnigh guaim ort féin' á rá ag Adri.

'Coinnigh guaim ort féin' — na focail ina macalla rabhartach ina chloigeann istigh. Agus casann Illi i dtreo an dorais agus déanann ar charr na mná lasmuigh.

"Déan deifir, in ainm Dé," arsa í féin amuigh. Dóthain den chath inmheánach troidte ag Illi le nach sásóidh sé ise trí'n bloc a chailliúint ach an oiread. Coinneoidh sé guaim air féin. Ba ró-chreidiúint don aineolaí seo de bhean é a mhalairt a dhéanamh. Cuireann sé an dara bosca isteach ar chúl an chairr agus dúnann síos an doras. Tosaíonn sé ar dhul ar ais i dtreo an tsiopa.

"Seo," ar sí, 's gan choinne ag Illi leis. Amach trí fhuinneog íslithe an chairr a thagann an scairt chuige. Cathú air ligean air nach gcloiseann sé ar chor ar bith í ach é ró-uasal a leithéid a dhéanamh, d'ainneoin a boirbe leis go dtí seo. Casann sé agus filleann go doras an chairr. "Seo," ar sí den dara huair, "bosca bruscair," agus síneann sí mála salach plaisteach amach chuige. Leis sin, suas le fuinneog an dorais, casadh eochrach agus bailíonn sí léi glan as an gcarrchlós. Breathnaíonn Illi ina diaidh agus croitheann a chloigeann. É deacair dó a chreidiúint go mbíonn daoine den chineál sin ann. Is deacra fós dó é nuair a chuimhníonn sé gurb iadsan na daoine is mó a dhéanann dul chun cinn sa saol, is cosúil.

É ag druidim le doras an ollmhargaidh athuair agus an mála plaisteach á fháisceadh ina liathróidín lena dhá lámh aige. Rud éigin greamaithe den mála — píosa páipéir, de réir dealraimh. Casann sé bun an mhála chuige agus is ansin a thuigeann sé a bhfuil ann. Nóta caoga euro. É greamaithe den gcuid íochtair den mála. É salach smeartha gréisceach. Ardaíonn sé os comhair na súl é. Sea, cinnte, nóta caoga euro, cuma an bhfuil sé smeartha nó nach bhfuil. Breathnaíonn sé láithreach sa treo ina ndeachaigh an bhean ardnósach. Gan smid ná rian di ná dá carr galánta le feiceáil faoi seo. 'S dá mbeadh féin, níl Illi féin chomh cinnte sin de anois go nglaofadh sé ina diaidh ar aon chaoi. É den tuairim gur fearr di féin agus don tsaol i gcoitinne í a bheith gan an caoga euro céanna.

Druideann sé rud beag eile níos gaire do phríomhdhoras an ollmhargaidh agus feiceann sé an Broineach istigh ag fanacht air. Sracfhéachaint mífhoighneach ag an mbainisteoir ar a uaireadóir. Céim bhacach eile ina threo ag Illi nuair a osclaíonn doras tosaigh an tsiopa go huathoibríoch. Agus, leis sin, seoltar cumhrán gleoite na lusanna cromchinn ar mhuin an tséideáin chuige. Sé euro glan ar choróg bhreá díobh. Breathnaíonn Illi athuair ar an nóta caoga euro ina lámh. Níl fáth anois nach mbeadh bláthanna ag Adri Hagi ina hárasán anocht. D'ardódh sin a croíse. Iad sin tuillte aici ar a laghad. Bean mhánla, bean shéimh. Bean nach gcaithfeadh leis an té ab ísle aon phioc difriúil thar mar a dhéanfadh leis an duine a bheadh thuas. Sracfhéachaint eile ar an nóta caoga euro. Sé euro ar an gcoróg. 'S nach mbeadh daichead a ceathair euro fágtha ina dhiaidh chun cuidiú leis an mbille leictreachais a íoc.

GREIM

GREIM

Cathair Phanamá. Brat dorcha na hoíche ar cheantar San Felipé. Áit nach siúlann póilín ina aonar. Ina mbeirteanna agus ina dtriúranna a bhíonn siad de ghnáth. 'S go fiú sin, ar uaireanta, tá sé dainséarach. É gar don mheánoíche Oíche Shatharn na Cásca.

Rónán Ó Brádaigh ina luí ar an leaba ar an dara urlár de Hotel Central. An áit ina bhfuil cónaí air le bliain go leith anuas. Seanfhoirgneamh cóilíneach a bhíodh ina sheod tráth. Is fada uaidh é an tráth sin anois. An teach céanna ina drúthlann cheart leis na blianta anuas. Daoine den uile chineál isteach is amach ann. Daoine den chineál úd nach gceadófaí, b'fhéidir, in aon áit mheasúil.

Rónán ag breathnú ar an tsíleáil. An phéint seargtha air, é le fada ar tí titim ina chalóga chun an urláir. Lanna leathana láidre an ghaothráin síleála á gcasadh go tapa ach an Brádach ag sileadh allais ar nós an diabhail i gcónaí. Meirbh! Huth, ní hann don meirbh i gcomparáid leis seo. 'S cén mhaith é gaothrán san aimsir seo, ar aon chaoi, a shíleann sé. Dáiríre, nuair a chuimhníonn sé air, céard a dhéanann sé ach an t-aer trom brothallach a rothlú thart. É ag cur leis an míchompord seachas é a laghdú. B'fhearr dá mbeadh an núis de rud múchta ar

43

fad. Ach níl d'fhuinneamh ag an bhfear óg éirí chun sin a dhéanamh. Ní hionann seo agus cás an té a bheadh in Ostán an Marriott i gceantar El Cangrejo. Ceann de cheantair ghalánta na cathrach. Cuimhne chuige anois ar cheist a chuir Anna Suarez, comhoibrí leis, air le déanaí.

"Céard é an difríocht idir córas aer-oiriúnaithe Hotel Central agus córas aer-oiriúnaithe an Mharriott?" ar sí.

"Níl a fhios agam, a Anna. Céard é an difríocht?"

"An t-aer," ar sí, agus fuair sí deacair é stopadh den gháire. Shíl Rónán féin go raibh sé greannmhar go leor ag an am. Ach ní hin a airíonn sé anois agus é ag fulaingt faoin easpa chórais.

Rothlú na lanna ag imirt ar na smaointe air. Smaointe ar a bhfuil ar siúl aige anseo i gCathair Phanamá á meascadh le cuimhní ar Bhaile Átha Cliath. Is fada óna chathair dhúchais é an oíche seo. Sé mhíle míle slí, más ag eitilt atá tú. Agus más fearr leat snámh … bhuel, go n-éirí leat. É breis agus trí bliana ó d'fhág sé Éire. Ba bhreá leis a bheith sa bhaile, don Cháisc ach go háirithe. É sin agus toisc a bhreithlá a bheith ag teacht aníos go gairid ina dhiaidh. É bliain agus fiche d'aois in imeacht deich lá nó mar sin.

Sciuird theite Sebastian trasna an urláir a tharraingíonn as an gcuimhne é. Ingne na gcoisíní ag scríobadh na gclár urláir sa rith. Am ithe dó, is cosúil. Screamhóga aráin fágtha ag Rónán dó ar an sásar sa chúinne. Anois céard a déarfá le difríocht chaighdeáin!

D'íocfá cúpla céad dollar san oíche sa Mharriott agus ní fhéadfá go fiú do pheata a thabhairt isteach leat. Ach anseo, san Hotel Central, ar seacht ndollar san oíche, ní gá duit go fiú do pheata féin a bhreith leat. Caitear francach isteach i ngach seomra — saor in aisce — go fiú mura n-iarrann tú é.

Rónán féin a bhaistigh Sebastian ar fhrancach a sheomrasa. É ag luí ansin ag fanacht ar an gcreimeach an t-urlár a thrasnú arís. Is ait leis nach gcloiseann sé ag filleadh ar a phoillín é. I gcónaí riamh bíonn an dara sciuird theite le cloisteáil tar éis don neach beag na screamhóga a ithe.

Francach. Ba dheacair do Rónán riamh a shamhlú go n-íosfadh duine a leithéid. Ní hé nár tháinig sé ar dhaoine san obair atá idir lámha aige a d'ith francach. Tháinig, go deimhin, agus go minic. Go ró-mhinic. Inniu féin, bhí an cailín óg sin a dtáinig sé uirthi sa lána úd taobh thiar d'Avenida Central Thuaidh. Rosa. Í ar leathchois, mar atá na mílte eile mar í sa chathair chéanna. Í ceithre bliana déag d'aois, nach mór. B'ait é ach, in imeacht na cainte léi, nach bhfuair sé amach go bhfuil an breithlá ceannann céanna acu beirt. É sin i gcoitinne acu ar a laghad. Ach francach a ithe! Ugh, ní fhéadfadh sé.

"Sea, d'ith. Inné nó arú inné," arsa Rosa leis, nuair a d'fhiafraigh sé di cén uair dheireanach a raibh béile aici. B'ansin a chuir sé an dara ceist:

" 'S céard é a d'ith tú?"

"Píosa de fhrancach." É ráite aici mórán mar a déarfadh duine eile leat go raibh stéig bhreá mhairteola aige don dinnéar. Agus, d'ainneoin nárbh í an chéad uair dó an freagra sin a fháil, bhain sé stangadh as. Aon-dó, mórán mar a bheadh lámha dhornálaí san éadan ort sula mbeadh a fhios agat é, go fiú.

"Bhuel, a Rónáin, a mhic mo chroí, cuir ceist — bí ag súil le freagra," arsa Anna leis nuair a d'inis sé di é. Í ceart chomh maith. Panamánach í féin ach an oiread le Rosa. Tuiscint aici dá muintir féin, cé nach ionann í agus go leor díobh. Í go maith as ó thús. Go han-mhaith as, dáiríre. Den uas-mheánaicme. As baile Monte Oscuro di, píosa beag ó dheas ar Chathair Phanamá féin. Áit chónaí roinnt airí rialtais agus daoine mar iad. Ach thug sí cúl air sin ar fad agus bheartaigh dul ag obair leis an eagras *Ancon*. Obair shráide. Obair dhearóil. Obair nach bhféadfaí leanacht de go ró-fhada gan briseadh a fháil uaidh.

Bean bhreá, a shíleann Rónán dó féin, agus casann sé sa leaba. É ag ceapadh go mb'fhéidir go laghdóidh an casadh sin ar mhíchompord an teasa. Ach diabhal a dhath de. Seans ann nach ndéanfaidh sé codladh ar bith, síleann sé. Socrú déanta aige casadh ar Anna ag geataí Parque de Santa Ana ar a 7a.m. A fhios acu beirt agus iad ag fágáil a chéile níos luaithe anocht nach bhfuil dóthain sa stobhach atá réitithe acu. Ní bheathóidh sé an slua a thiocfaidh. Go fiú, mura dtagann ach bacaigh Pharque Santa Ana féin, seans ann nach mbeidh dóthain bia ann dóibh. Ach, ar ndóigh, mar a dúirt Anna leis, "cuirfidh na bacaigh féin leis an iarracht ar an ngnáthbhealach." Agus thuig sé a raibh i gceist aici agus í á rá.

Ach buíochas le Dia go mbeidh cuid den ghnáthdhream sa phríosún don lá sin féin. Iad ina saineolaithe ar an gcleas sin, na bochtáin. É pleanáilte go maith acu. Gadaíocht chiotach, mar dhea, déanta acu tamaillín roimh na Cásca. Ach gadaíocht mhór déanta le seachtain anuas féin: veain slándála a bhí ag bailiú airgid as Banco Nacional de Panamá fuadaithe. Seisear de bhacaigh cheantar Santa Ana gafa ag na póilíní ach gan an chreach aimsithe ag na húdaráis fós. Gan sa seisear céanna ach an chaolchuid. Na póilíní á rá go bhfuil duine ar leathshúil, duine eile ar leathláimh, duine eile fós ar leathchois á gcuardach acu. Bhuel, ní fhéadfaí a rá nach bhfuil rogha rí ag na póilíní céanna i gCathair Phanamá. Iad á rá go bhfuil an t-airgead amuigh ansin i measc na mbochtán i gcónaí. Agus, i dtuairim Rónáin, is ann is cóir don airgead sin fanacht seachas é a bheith i gcuntais bhainc rachmasóirí na tíre.

Ach cinntíonn sin ar fad go mbeidh seisear breise faoi chúram an stáit ar an lá mór féin. Ar an dóigh sin, beidh dinnéar acu, ar a laghad. Bhuel, dinnéar de shórt. Is minic francach tugtha dóibh sa phríosún, más fíor a deirtear. Smaoineamh é sin a thugann Sebastian chun cuimhne Rónáin athuair.

Ardaíonn an fear óg é féin sa leaba agus breathnaíonn

i dtreo chúinne an tseomra féachaint an bhfuil na
screamhóga ann i gcónaí. Leathsholas an lóchrainn
sráide á scairdeadh isteach trí lataí na fuinneoige a
chuidíonn lena shúile an sásar a aimsiú. É dodhéanta dó
a dhéanamh amach an bhfuil na screamhóga ite ag an
bhfrancach nó nach bhfuil. 'S má tá Sebastian féin fós
ann, ní leor an solas fann len é a fheiceáil.

I nganfhios dó féin a thiteann an tÉireannach óg chun
suan. Más ann do chreimeach nó screamhóga nó rud ar
bith eile ar domhan, níl a fhios ag Rónán dada faoi anois.
Gan ar a intinn aige go ceann roinnt uaireanta a' chloig
ach an méid a chaitheann brionglóid nó dhó aníos
chuige, b'fhéidir. Go ró-luath féin a thiocfaidh an
mhaidin, go deimhin. Maidin, agus lá mór eile ar na sála
air.

Béicíl an druill-sháirsint a ghriogann Rónán chun
dúiseachta. Coiscéimeanna troma na saighdiúirí, iad ag
canadh 'gus iad ag máirseáil ar an tsráid lasmuigh.
Huth! Buíon Gharda an Uachtaráin: an t-am ceannann
céanna chuile mhaidin. D'fhéadfá airgead a chur orthu
maidir le rialtacht. Is ait le Rónán i gcónaí Pálás an
Uachtaráin a bheith buailte le ceantar chomh bocht le
San Felipé. An pálás chomh gleoite is atá, chomh
hornáideach, chomh gáirsiúil sin, ar chaoi. Ach maidir le
haon duine den gcosmhuintir a ligean isteach ann
riamh, bhuel, sin scéal eile.

Suíonn sé aníos sa leaba. É ag aireachtáil, ar bhealach,
nach bhfuil codladh ar bith déanta aige. Leath-chathú

48

air luí siar arís ach tá a fhios aige nach féidir. Ní inniu, ar aon chaoi, thar lá ar bith eile. Ró-mhéid le déanamh. De rúid a thréigeann sé an leaba agus déanann ar an bhfoseomra folctha. An foseomra céanna ina mhicreacosma den fhoirgneamh ar fad. Tíleanna ar an mballa ar léir iad a bheith geal gleoite galánta tráth. Iad anois salach screamhach scoilteach. Agus leicíní atá i bhfad níos lú ná iad ag déanamh urláir mhósáice faoi chosa Rónáin. Iad caite mar atá na tíleanna falla agus smúr salach gréisceach idir gach dhá leicín díobh. Feirmín beag na nginidíní.

Seasann sé isteach faoi ghoib an cheatha. Snáth cúng uisce ag drithliú anuas air. Fuaire phréachta an leachta a ruaigeann gach cuimhne ar thíleanna agus leicíní as a cheann. Ina áit sin anois tá smaoineamh soicind ar chonas mar a bheadh sa Mharriott. Ansin ritheann sé leis gur dócha gur minic a thrasnaíonn Sebastian urlár an tseoimrín seo leis.

Sebastian! Tréigeann Rónán an cith agus filleann ar an bpríomhsheomra. Sracfhéachaint ar an gcúinne agus an sásar ann i gcónaí. Druideann sé leis agus feiceann go bhfuil cuid mhaith de na screamhóga fágtha gan ithe ag Sebastian. Aisteach. An fear óg ar tí casadh uaidh nuair a thiteann rud isteach i raon na súl air. Rud liath éigin leathbhealach idir an sásar agus an áit a bhfuil cuaráin Rónáin fágtha thar oíche. Teannann sé leis agus, go tobann, baintear siar aisteach as. Airíonn sé an croí ag preabadh ina chliabhrach istigh soicind. Sebastian.

É righin marbh ar an urlár. An créatúr.

Cromann Rónán, leagann cúl mhéaracha na ciotóige ar chliathán an fhrancaigh agus airíonn fuar é. É a shluaisteáil chun bealaigh an chéad chathú atá air, ansin tagann an dara smaoineamh chuige. Éiríonn sé, téann go dtí an cóifrín beag atá le hais na leapa aige agus aimsíonn mála páipéir ann. Filleann sé ar an ainmhí marbh agus cuireann isteach sa mhála é. Leis sin, sánn sé sin isteach ina mhála droma, seiceálann go bhfuil gach ní eile sa seomra i gceart agus bailíonn leis chun castáil ar Anna.

Parque de Santa Ana, 7.05a.m. Gan ag na geataí roimhe an tráth seo den mhaidin ach Anna Suarez féin. Í gealgháireach, mar a bhíonn i gcónaí.

"Bail ó Dhia ort, a bháinín," ar sí, agus pógann sí ar an dá leiceann é, mar is gnách léi a dhéanamh. Is deas le Rónán nós sin na tíre boichte seo. "An bhfuil tú réidh don obair, a bhuachaill?"

"Muise, tá, cé go n-airímse nach bhfuair mé an néal codlata féin."

"Ó, go deimhin! Sin í an uair a mbíonn codladh mór déanta ag duine."

Iad i mbun oibre láithreach. Aimsíonn siad an coire mór ina bhfuil an stobhach réitithe ón oíche aréir. An dara pota ann ach gan aon ní istigh ann go fóill. Agus an dá choire á dtabhairt ar rothaí as cúlchlós Casa Zaldo dóibh, feiceann siad na bochtáin ag bailiú ag geataí Parque de Santa Ana cheana féin. A fhios ag na bacaigh gurb í seo an t-aon mhaidin sa bhliain nach gcuirfidh na póilíní orthu bogadh leo. Maidin mhór an tSlánaitheora. Mála páipéir donn faoina n-ascaillí ag an gcuid is mó díobh.

An sorn gáis lasta faoin stobhach ag Rónán cheana féin, an pota folamh fágtha ar leataobh píosa uaidh. Agus iad ag teacht i dtreo an choire láin, croitheann gach aon duine de na bacaigh a bhfuil sa mhála donn aige isteach sa phota folamh. Ar aghaidh leo ansin ina dhuine 's ina dhuine agus glacann lán a' phláta den stobhach ó Anna agus Rónán.

Comhluadar na mbacach. A gcomhluadar féin iad, dáiríre. Iad ina suí lena bplátaí bia ar na céimeanna os comhair gheataí Parque de Santa Ana. Béile acu de chaighdeán nach mblaisfear de arís go ceann bliain eile fós. Agus fíon i ngloine cheart acu seachas suarachas an bhuidéil lena mbaineann a gcáil go hiondúil.

Seasann Anna agus labhraíonn: "Ba mhaith liom féin," ar sí, "agus le Rónán céad míle fáilte a chur romhaibh go béile an lae inniu agus guímid beannachtaí na féile oraibh. Beirimid buíochas libh freisin as bhur dtabhartas a fhágáil sa dara pota agus tugaimid cuireadh daoibh teacht chugainn am ar bith is mian libh i rith na bliana atá romhainn. Táimid anseo daoibh i gceantair San Felipé agus Santa Ana i gcaitheamh na bliana." Agus thairis sin ní deireann sí. Suíonn sí féin ansin chun ruainnín a ithe.

Leis sin, seasann duine den chomhluadar. Bacach.

"A dhaoine uaisle agus a chomrádaithe," ar sé. É deisbhéalach thar mar a cheaptar bacach a bheith de ghnáth. "Labhraímse thar bhur gcionn anseo inniu. Fógraím, ar bhur son, ár mbuíochas ó chroí le Señorita Anna agus le Señor Rónán as a bhfuil déanta acu dúinn an bhliain seo thart."

Gach aon ghuth sa chomhluadar ardaithe chun tacú leis an bhfocal buíochais seo agus bristear ina bhualadh bos. Ansin ciúnas athuair.

"Ní haon fhear cainte mé," arsa an t-urlabhraí, "agus, mar sin, ní theastaíonn uaimse ach bhur dtoil a dhéanamh agus an dá bhronntanas seo a bhronnadh ar ár mbeirt chairde groíúla." Agus, leis sin, tagann sé ar aghaidh go dtí Anna agus síneann beart beag chuici. As sin go Rónán leis an bhfear agus tugann clúdach litreach dósan.

Beirt *Ancon* sínte le hiontas, iad ciotach ar bhealach. An chéad uair riamh in imeacht na mblianta dá leithéid a tharlú. Tocht orthu beirt 'gus iad ag breathnú ar an gcomhluadar. Súil acu ansin ar a mbronntanais agus, leis sin, tosaíonn an comhluadar ar chantaireacht.

"Osclaigí, osclaigí, osclaigí." An chantaireacht ag méadú thar cuimse nó go ngéilleann an bheirt do thoil an tslua. Anna ar dtús a thosaíonn ar an bpáipéar a bhaint dá beart. An slua chomh ciúin le cuisle linbh sa chliabhán 'gus iad ag faire uirthi. Boiscín istigh 'gus í á oscailt sin anois. Cuma an iontais ar a haghaidh agus a bhfuil faoina súile fós sa bhosca. Dath an óir á scairdeadh féin ar a héadan. Agus, leis sin, ardaíonn sí na fáinní cluaise. Iad ag glioscarnach faoi sholas na maidine. Ór den chéad ghrád. Í ar tí rud éigin a rá nuair a labhraíonn urlabhraí na mbacach athuair.

"Ná habair dada, le do thoil," ar sé, agus aithnítear údarás neamhchoitianta ar a ghlór. "Señor Rónán," ar sé, agus sméideann sé ar Rónán a chlúdach litreach a oscailt.

Osclaíonn Rónán an clúdach go mall cairéiseach, ansin tosaíonn ar a bhfuil istigh a bhaint as. *Continental Airlines* an chéad rud a fheiceann sé ar an doiciméad istigh. Agus, de réir mar a bhaineann sé as an gclúdach ar fad é, tuigeann sé a bhfuil ann: ticéad fillte go hÉirinn. "Ach cén chaoi —"

"Ná cuir ceist, a bhuachaill," arsa duine den chomhluadar. "Ceann fillte atá ann, a mhac. Tá tú le teacht ar ais chugainn, bíodh a fhios agat," arsa ceann eile, agus déantar gáire ina dhiaidh sin. Ansin bualadh bos fós eile.

Na deora go hard ar shúile Rónáin. Ardaíonn sé a chloigeann agus breathnaíonn amach ar na bochtáin. "Ach, cén chaoi ..." ar sé, agus stopann sé é féin an babhta seo. Na daoine seo ar mó a míbhuntáiste ná aon dream eile atá ar a aithne aige. Cuid díobh ar leathshúil, cuid eile ar leathláimh, cuid eile fós ar leathchois. Ar leathchois! Ar shúile Rosa siar sa slua a thiteann a shúile féin. Meangadh breá leathan ar a béal 'gus í ag faire air.

"I gcuimhne ár gcairde nach bhfuil in éindí linn

inniu," arsa urlabhraí an tslua. Leis sin, ardaítear gloiní agus óltar agus itear. Agus déantar ceiliúradh ar rud a tharla Domhnach mór éigin cúpla míle bliain siar.

Ar ball, agus Rónán ar tí filleadh ar Hotel Central, cuimhníonn sé ar an mála páipéir atá aige ina mhála droma. Baineann sé amach é agus folmhaíonn a bhfuil ann isteach sa dara pota. Cuireann sin le tabhartas na ndaoine a bhfuil an mhaidin caite aige leo. Tá a fhios aige go bhfuil tús le cur le hobair bhliain eile agus go mbeidh fonn úr air tabhairt faoi sin nuair a fhilleann sé as Éirinn.

AITHNE

AITHNE

Cuimhní. Soilse agus réaltaí agus bladhmanna de lasracha á gcúrsáil féin trí chloigeann Ahmet le linn dóibh a bheith á chiceáil. An phian. É ar a dhícheall é féin a chúbadh le nach n-aimseodh gach aon cheann de na ciceanna ceann sprice. B'fhearr sin ná a bheith lánoscailte d'iarrachtaí na bhfeallairí. 'S ansin an chic dheiridh úd díreach sa bhaithis air a chuir ruaig ar na samhailtí uile, idir shoilse agus réaltaí agus bhladhmanna. Agus, i ndiaidh na péine, rud eile fós. Rud ba mheasa ná an phian féin. An easpa péine. Ansin rinne brat an dorchadais é féin a leathadh ar an uile ní.

Focail seachas samhailtí ba thúisce a tháinig chuige agus é ag teacht chun aithne arís. 'Goirmín', 'nigger', 'diúgaire'. Agus áit éigin i measc na bhfocal sin 'fáilte go hÉirinn' á radadh leis go searbhasach ag duine de na bruíonadóirí. Ansin cic eile fós ag dul leis sin. Agus d'oscail Ahmet na súile ceann ar cheann.

Solas ard na síleála os a chionn á shníomhadh féin go pianmhar isteach trí oscailtí na súl a chuir air liopaí na logall a chúngú beagáinín beag athuair. Aghaidheanna ina n-ainriocht isteach is amach chuige. Meangaidh gháire. Éadan a mhná chéile, Sayuni.

"Tóg go réidh é, a Ahmet. Neart ama, neart ama."

Agus d'airigh sé lámh á leagan anuas ar a chiotóg. Ní raibh a fhios aige ag an bpointe sin gurbh é an Dr. Mac Aindriú a chuala sé ag labhairt. Gan a fhios aige ach an oiread go raibh sé tar éis trí seachtain déag a chaitheamh ar a chlár droma san ospidéal, é gan aithne gan urlabhra i ndorchadas an támhnéil. É i gcóma. Gan a fhios aige, go deimhin, go ndearna na gardaí cathair mhór na Gaillimhe a chíoradh suas síos san iarracht chun teacht ar na mioscaiseoirí a rinne an drochbheart úd air. 'S gan de chuimhne aige féin ar shonra ar bith den ionsaí ach amháin go dtáinig an tuiscint chuige in imeacht ama go raibh stad ina chaint ag duine den dream a rinne é a bhascadh. B'ait leis gurbh í sin an chuimhne a bheadh aige thar rud ar bith eile.

"Tóg go réidh é. Neart ama, neart ama ..." Déanann na focail Ahmet a ghriogadh as an gcuimhne. A chomhpháirtí oibre, Diarmaid, atá á rá leis an bhfear óg atá á chur faoi agallamh acu. A thiarcais! Agallamh! An Dr. Mac Aindriú a shíl Ahmet a bheith ann nuair a chuala sé na focail á labhairt. An fochoinsias ag déanamh an diabhail air i gcónaí. É beag beann ar rud ar bith atá ráite ag an ógfhear atá ina shuí ar an taobh eile den bhord. Is maith an rud é go bhfuil Diarmaid in éindí leis ar an mbord agallamha, a shíleann Ahmet. Murach sin, bheadh cúrsaí ina chíorthuathail amach is amach.

Cuimhní na hoíche úd á chrá i gcónaí. É á fháil an-deacair ar fad iad a chur de. Trauma air, a dúirt an dochtúir. PTSD, dar leis. Moladh briseadh sé mhí glan ón obair dó. Ach ní fhéadfaí sin a dhéanamh. Cén chaoi a bhféadfaí? Eagras le rith, páistí le beathú, daoine le cur faoi agallamh, go deimhin, agus míle fáth eile le go gcaithfeadh sé filleadh ar an obair a luaithe agus a d'fhéadfaí.

Ach tuigeann Diarmaid dó. Tá a fhios aige an tranglam a ndeachaigh Ahmet tríd agus tuigeann sé go rímhaith nach bhfuil sé ar ais chuige féin go hiomlán fós. 'S cén fáth nach dtuigfeadh. Nach é sin go díreach an cineál ruda a bhfuil siad féin ag iarraidh aghaidh a thabhairt air lá i ndiaidh lae. Nach hin é is gnó dóibh!

"Bhuel, cuirfidh mé an cheist ar bhealach eile," arsa Diarmaid leis an bhfear óg os a gcomhair amach: "mar eagras atá ag plé le fadhb an chiníochais anseo in Éirinn ..." Agus leanann sé de ghlacadh na freagrachta i stiúradh an agallamha. Ach ní cuimhin le hAhmet cur na ceiste ar bhealach eile a chloisteáil ina iomláine. Ní cuimhin leis cur na ceiste ar an ógfhear an chéad uair féin, go fiú. Tá a intinn imithe leis ar fán fós eile.

Éadan duine de na bruíonadóirí chuige anois. É neamhchinnte mar éadan in intinn Ahmet. Súile de chineál amháin ar dtús, ansin de chineál eile. Ansin béal deimhnitheach 's ansin é as a riocht arís. Agus, ar deireadh, an béal socair cinnte. É ag pramsáil ina intinn mórán mar a bheadh ceann de na fótófiteanna úd a bhíonn ag na gardaí. An t-aon rud nach bhfuil scamallach aistritheach san fhís is ea an ghruaig. É rua. Rua-rua deimhnitheach. É chomh rua sin nach bhféadfadh an neamhchinnteacht féin aon dath eile a dhéanamh de.

Níl a fhios ag Ahmet cé chomh fada ar fán arís é ina intinn nuair a airíonn sé uilleann Dhiarmada á ghriogadh athuair.

"Aon cheist agat féin, a Ahmet, sula scaoileann muid le hAodán anseo?" arsa Diarmaid.

"Huth?"

"Ceist agat féin ar Aodán, a dúirt mé?"

Ruacht ghruaig Aodáin os a chomhair a fheiceann Ahmet ar theacht as scamall-domhan na haislinge dó.

"Ceist!" ar sé le Diarmaid, ansin breathnaíonn sé sa dá shúil ar Aodán.

"Sea, a Ahmet. Ar Aodán atá mé á rá."

"Aodán!" arsa Ahmet. Baoithe fholúsach sa chaoi a ndeireann sé an t-ainm. Ansin nascann súile Ahmet go dlúth de shúile an óigfhir. "Aodán, an ea?" Arís eile, tá easpa brí i gcaint Ahmet.

"Sea," a deir an fear óg féin an uair seo, agus scaoll le feiceáil sna súile air ar fáth éigin. Leis sin, íslíonn sé na súile le nach mbeidh air breathnú ró-fhada ar Ahmet.

"Sea," arsa Diarmaid athuair, é ag iarraidh an chiotaíl atá le brath sa seomra a dhíbirt. "Ceist, b'fhéidir, faoin tábhacht a bhaineann leis an bpobal i gcoitinne a chur ar an eolas faoi chruachás na n-eachtrannach a thagann isteach chugainn as tíortha eile. Tá a fhios agat féin — ceist, b'fhéidir, faoin aineolas a bheith mar bhunús leis an gciníochas."

Ciotaíl an chiúnais fós eile agus ardaíonn Aodán na

súile den dara huair, nascann iad arís le súile Ahmet agus íslíonn athuair iad. Bladhm fhísiúil splancach de ruacht gruaige ag trasnaíl intinn Ahmet. A shúile dírithe ar Aodán i gcónaí. Cloigeann an óigfhir leathchromtha agus ruacht na gruaige á fógairt féin go dána.

"Níl. Níl aon cheist agam," arsa Ahmet, a shúile-se anois ar bior sna logaill agus iad greamaithe den bhfear óg atá ina shuí os a chomhair amach.

Ní cuimhin le hAhmet clabhsúr á chur ag Diarmaid leis an agallamh. Plab an dorais i ndiaidh imeacht Aodáin as an tseomra a thugann chun leath-aithne arís é.

"Tá tú cráite ag na cuimhní, is léir, a Ahmet, a chara," arsa Diarmaid leis. "B'fhéidir go raibh an ceart ag an Dr. Mac Aindriú faoi go mb'fhéidir go raibh tú ag filleadh ar an obair rud beag ró-luath. Seans nach fearr a dheanfá ná cúpla mí eile a thógáil roimh theacht ar ais go lánaimseartha. Huth! Céard a cheapann tú?"

"Tá mé togha, a Dhiarmaid. Togha. Ceist ama, sin an méid, a chara liom. Ceist ama. Go raibh maith agat mar sin féin. Cén chuma a bhí ar an iarrthóir sin ar aon chaoi? Hmm?"

"Aodán!"

"Aodán! An é sin atá air?"

"Sea. Aodán Mac an Rabhartaigh, a Ahmet. Ní cuimhin leat an méid sin?" Breathnaíonn an bheirt chomhoibrithe ar a chéile soicind nó dhó. "Bhí sé maith go leor," arsa Diarmaid, agus é ag leanacht dá chaint —

é ar a dhícheall a chinntiú nach gcuirfeadh aon chiúnas leis an gciotaíl. "Go deimhin, chaithfí a rá go raibh sé fíor-mhaith maidir le heolas sonrach i dtaobh líon na n-eachtrannach atá ag teacht go hÉirinn agus na tíortha éagsúla as a bhfuil siad ag teacht. Agus mórán eile chomh maith leis sin, is dóigh liom."

"Go maith, go maith. Bhuel, meas tú, más ea, an bhfuil déanamh ár n-oifigeach eolais nua ann?"

"Bhuel, níl a fhios agam go baileach, a Ahmet. Níl aon dabht faoi ach gurb é is fearr go dtí seo. É i bhfad Éireann chun tosaigh ar an gcuid eile maidir le leibhéal eolais chun an fhírinne a rá, ach amháin ..." agus stopann Diarmaid i lár abairte.

"Sea! Ach amháin céard, a Dhiarmaid?"

"Bhuel, tá a fhios agat féin maidir le déileáil leis na meáin agus mar sin de."

"Na meáin, a Dhiarmaid?"

"Sea. Bhuel raidió agus teilifís, ach go háirithe, a Ahmet, tá a fhios agat. Ceist an chumais labhartha agus mar sin de atá i gceist agam, tá's agat féin."

Cuma easpa tuisceana ar éadan Ahmet agus é ag iarraidh ciall a dhéanamh den méid atá i gceist ag Diarmaid.

"Bhuel, nár thug tú rud ar bith faoi deara a ghabhfadh go láidir ina choinne i réimse na meán?"

"Ina choinne, a Dhiarmaid. Cén chaoi ina choinne?"

"Bhuel, tá a fhios agat. An stad sin atá aige ina chuid cainte."

"Stad ina chuid cainte," arsa Ahmet, agus sciurdann bladhm den ruacht trasna ar an intinn air. Leis sin, tagann bior sna súile ar Ahmet fós eile.

TEAGMHAS

TEAGMHAS

Urlár na monarchan thíos fúthu. An bheirt fhear atá ar shos caifé sa cheaintín ag breathnú anuas ar an ionad oibre. Torann maolaithe phlátaí miotalacha á gclampáil go láidir in aghaidh a chéile. 'S ansin iad á n-oscailt féin arís. Deich gcinn de mheaisíní móra múnlóireachta. An plaisteach ins na píobáin iontu chomh hard-téite sin is gur nimhní é ná an magma i mbolcán tine. Agus ar éadain na bplátaí, nuair a osclaíonn siad, cúig cinn déag de spící snáthaideacha ar a gcumtar coirp shorcóireacha na steallairí. Steallairí a mhúnlófar agus a chuirfear chuig ospidéil san uile chearn den domhan mór. Steallairí lena sáfar daoine chun a leas a dhéanamh. Steallairí a bhfuil síol an dochair iontu fosta. Agus feighlí ag taisteal leis ó mheaisín go meaisín, ag cinntiú go bhfuil cúrsaí mar is cóir dóibh a bheith.

"Féach thíos é. An diúgaire lofa de thincéir," arsa duine den bheirt leis an bhfear eile ag bord an cheaintín, ansin sméideann i dtreo an fhir thíos.

"Hé, hé, a Antó, tóg go réidh é. Níl aon ch—"

"Óra, dún do straois tusa. Tá's ag Dia nach bhfuil tú féin mórán níos fearr ná é. Cén diabhal atá ort go mbíonn tú de shíor ag glacadh páirt an leibi—"

"Ach níl ann ach —"

"Níl ann ach dada, a bhuachaill, an dtuigeann tú? Anois dún agus fág dúnta, nó is duitse is measa."

Síol na mire i súile Antó agus an bhagairt á déanamh aige. Rian an sceimhle ar shúile Chormaic. É cinnte ar Chormac an chéad lá riamh ciall a dhéanamh den naimhdeas atá ag Antó i leith Chaoilte. É de shíor anuas air faoi rud amháin nó rud eile, 's gan an bunús is lú leis am ar bith. Bhuel, gan bunús cé's moite den mbiogóideacht. Sea, biogóideacht. É sin, is dócha, agus brúidiúlacht. An 'dá b'. An 'dá b' is ansa le hAntó riamh.

Tamall ciúnais eatarthu. Corr-bholgam caifé á ghlacadh acu. Corr-sracfhéachaint acu ar a chéile.

"Agus an t-ainm sin aige! Caoilte! Dia dá réiteach, Caoilte! A leithéid! Ainm tincéara má chuala mé a leithéid ria—"

"Bhuel, ní hea, a Antó, mar a tharlaíonn. Is —"

"Dún tusa do straois a dúirt mé leat cheana, a Chormaic." Agus dúnann. Ró-fhaitíos ar an diabhal bocht a mhalairt a dhéanamh. Ar chaoi ar bith, cén mhaith a dhéanfadh sé a chur ar shúile Antó gur ainm ársa uasal é Caoilte. Ainm a bhaineann leis an bhFiannaíocht. Huth! An Fhiannaíocht! Go deimhin, dá luafaí an Fhiannaíocht leis, bheadh ábhar eile gearáin aige. B'fhurasta don fhear céanna a dhéanamh amach go raibh dlúthcheangal idir an Fhiannaíocht agus cultúr lucht siúil. Nó 'cultúr na dtincéar', mar is fearr leis a thabhairt air. Agus bheadh gus na hargóinte faoi arís.

Mar sin a bhí ón gcead lá ar thosaigh Caoilte ag obair

68

sa mhonarcha. De bhunús mhuintir Mhic a' Bhaird é, as tuaisceart an chontae ó thús. Ach, ó bhí sé ina pháiste bhí Éire taistealaithe suas síos 'gus soir 's anoir aige in éindí lena mhuintir. Faoi dhó nó faoi thrí, b'fhéidir, cá bhfios. Freastal déanta aige ar leathchéad scoil le linn a óige. É sin ar a laghad. Iontais feicthe aige thar mar a d'fheicfeadh duine den 'ghnáth-chosmhuintir' riamh. Saibhreas.

É de mhí-ádh ar Chaoilte gur cuireadh é ag obair le hAntó. Mar fheighlí cúnta a fostaíodh é. Gan d'éileamh air ach féachaint chuige go n-aistreofaí na boscaí ag ceann na beilte gluaiste. Iad le n-aistriú rialta a dhóthain 's nach ndéanfaí ró-líonadh ar aon cheann díobh. É sin agus a chinntiú nach mbeadh ró-shileadh ola anuas ar an mbeilt ghluaiste féin. É leamh aontónach mar obair, dáiríre. Gan dúshlán intleachtach ar bith ann. Agus, má bhí rud ar bith riamh le rá faoi Chaoilte Mac a' Bhaird, ba é go raibh cumas intleachtach iontach ann. Ach, mar ba mhinic á rá aige, b'fhearr post ar bith ná a bheith díomhaoin. Go fiú agus duine mar Antó mar mhaor ort.

Ach is feisteoir innealra é Antó. "Duine oilte mé, bíodh a fhios agat," a déarfadh sé le Caoilte. Le tuin dímheasúil a chaithfeadh sé sin leis. "Cloígh tusa lena bhfuil tú in ann aige, a mhic ó," a déarfadh sé leis an bhfear óg. "Agus dála an scéil, a bhuachaill, níl an bosca úd istigh i gceart faoi cheann na beilte ansin agat," agus tharraingeodh sé cic ar an mbosca céanna, amhail is dá mbeadh sé á dhíriú ar bhealach éigin. 'S ansin d'imeodh sé leis agus meangadh air. Bastallaí de dhuine. Bodach.

"Ó seo muid," arsa Antó, "feicim tincéir na dtom aníos chugainn," agus éiríonn sé den gcathaoir sula dtagann Caoilte isteach trí dhoras an cheaintín. "Níl aon bhlas ar an gcaifé seo a thuilleadh ar fáth éigin," ar sé, agus Caoilte ag druidim leis an mbord. Deireann sé sách ard é lena chinntiú go gcloistear é. Ach suíonn Caoilte, amhail is nach bhfuil rud ar bith cloiste aige. Ina chroí istigh, áfach, tá sé ag dul go beilt an chlaímh air guaim a choinneáil air féin lena n-airíonn sé d'fhearg leis an mbromach d'fhear.

"Na boscaí sin thíos i gcóir agat, an bhfuil?" arsa Antó leis.

"Tá." Rún ina intinn ag Caoilte gan ach an méid is lú a rá. Cinntíonn sin, ar bhealach, nach gcaillfidh sé an bloc leis an mbithiúnach.

"Súil agam nach bhfuil aon sileadh ola ar na beilteanna, a bhuachaill."

"Níl."

"Huth! Feicfimid." Ansin, breathnaíonn Antó ar a uaireadóir, 's as sin ar Chormac. "Agus an bhfuil tusa ag fanacht anseo in éindí leis sin?"

"Tá," arsa Cormac, agus dánacht de chineál ina chuid cainte aige nach raibh ann go dtí seo. "Ar chaoi ar bith, tá cúig nóiméad sosa fágtha agamsa i gcónaí."

"Huth! Nach breá agaibh é!" arsa Antó. "Agus tusa, a bhuachaill," ar sé go grod le Caoilte, agus druideann sé a éadan suas le haghaidh an fhir óig, "cúig nóiméad déag 's gan oiread agus an leathnóiméad thairis. An dtuigeann tú sin?" Agus, leis sin, bailíonn Antó leis.

"Ná bac leis, a Chaoilte," arsa Cormac de chogar leis an ógfhear, a luaithe agus a fheiceann sé Antó ag tabhairt faoin staighre síos. "Níl sé baileach chomh gangaideach agus a cheapfá ar uaireanta."

"Huth! An ndeir tú liom é! Bhuel, má tá rud seachas gangaid ag baint leis, níl an taobh eile den fhear céanna feicthe agamsa go dtí seo."

"Arae, níl sé gan tuiscint éigin," arsa Cormac, agus a fhios aige ina chroí istigh gur mó gur iarracht aige é an ráiteas céanna ar mhisneach Chaoilte a ardú ná ar fhírinne ar bith a insint.

"Bhuel, níl mise in ann ag mórán eile de bhrúidiúlacht an fhir. Seans go diocfaidh an lá go mb'fhéidir go mbeidh sé ag brath ar mo leithéidse, bíodh a fhios agat." Agus breathnaíonn Caoilte go diongbháilte i súile Chormaic agus é á rá sin leis.

"Seans ann, go deimhin, seans ann. Ach seo-seo, a Chaoilte, dóthain ráite. Ná cuirimis an beagán ama atá againn amú ar an ábhar sin. Céard a shíl tú den chluiche mór inné?"

Cuma plé ar ghangaid shaoiste nó ar chluiche mór ar bith, imíonn an t-am mar a imíonn i gcónaí agus ní airíonn Caoilte an cheathrú uaire á cur de nó go bhfuil sé ar an mbealach ar ais i dtreo na láithreach oibre athuair. É gar don chéad mheaisín múnlóireachta nuair a chloiseann sé glam de chineál. Seasann sé soicind, é neamhchinnte den rud atá cloiste aige. 'S ansin an gleo den dara huair. Meascán de ghlam agus scréach é, dáiríre. É ar tí ciall a dhéanamh de nuair a ligtear an tríú scréach agus ruaigtear gach rian den amhras atá in intinn Chaoilte faoin ngleo céanna. Tugann sé do na sála é, é ag rásaíocht leis síos líne na meaisíní.

Luas aisteach faoi chosa Chaoilte faoin am a shroiseann sé meaisín a hocht. Gus gluaiseachta chomh mór sin faoi go dtéann sé a fhad le meaisín a naoi sula dtuigeann sé go bhfuil rud feicthe aige ag meaisín a hocht. Cúlaíonn sé go deifreach agus casann isteach sa lána idir an dá mheaisín. Agus sin roimhe é Antó, éadan air atá chomh bán le marbhfháisc Chríost féin. Chuile bhraon fola a bhí riamh ina choirp ag an bhfear rite chun na bonnaibh ann faoi seo. An scréach anois ina gheoinín seachas rud a bhféadfaí láidreacht de chineál ar bith a cheangal leis. A ghualainn chlé buailte suas le taobh an phíosa innealra agus doras cliathánach an mheaisín mhúnlóireachta ar lán-oscailt. Agus an chiotóg féin, tá sí sínte uaidh ag Antó isteach i mbolg an mheaisín, áit a mbuaileann éadan phláta mhiotalaigh le héadan phláta eile.

"Mo … mo … mo …" arsa Antó, d'iarracht chainte, 's gan sa mhéid sin féin ach rud ar lú ná cogar é. Gan de neart san fhear a thuilleadh glam ná scréach a ligean. Séideadh fola ar an dá shúil leis, iad bolgach ins na logaill. Iad anois dearg-bhéiceach in aghaidh bháine chraiceann a ghnúis. Druideann Caoilte ina threo agus feiceann dhá phláta an mheaisín clampáilte go tréan docht in aghaidh a chéile agus ciotóg an fhir thruamhéiligh fáiscthe go huillinn idir na plátaí. Reo de chineál ar Chaoilte ar fheiceáil an uafáis dó. Ach ansin, ardaíonn Antó a dheasóg agus déanann fann-iarracht í a shíneadh i dtreo Chaoilte. Súile a chinn ag impí ar an bhfear óg seo dar thug sé íde na muice leis na míonna anuas breith ar leathlámh air ...

Breathnaíonn Caoilte ar chlár oibre an mheaisín; ar an gcnaipe dearg úd lenar féidir na plátaí a dhúnadh agus a oscailt de láimh. Iad a oscailt! Cuimhne láithreach chuig Caoilte ar a mhinice is a chaith an duine seo go bastallach leis. 'Ná bain leis seo', 'ná leag lámh air siúd', 'is mise an speisialtóir', 'níl ionatsa ach tincéir, a bhuachaill', agus mórán eile de thaircisní an fhir ag eitilt go spadhrúil imearthach trí intinn Chaoilte. Breathnaíonn an fear óg thart air féin. Cé a thógfadh air é é a bheith dall ar fheidhm an chnaipe sin anois? Cá bhfios d'aon duine beo é a bheith ann nó as, go fiú?

"Mo ... mo ..." Ina osna a thagann na focail as béal Antó an babhta seo. Iad fannlag íseal. Ceanglaíonn súile Chaoilte de shúile an mhaoir athuair. Na deora ag sileadh díobh go fras, iad dearg-uisceach ina dtitim. Iad dearg mar atá an cnaipe úd a dheimhníonn dúnadh agus oscailt. É siúd a dheimhníonn daoradh agus fuascailt. Síneann Caoilte a chiotóg i dtreo Antó, beireann greim ar dheasóg an fhir seo a rinne é a chrá — an fear seo a rinne beag is fiú de arís agus arís eile. Ansin, déanann

Caoilte bog-fháisceadh ar lámh an chráiteora. Leis sin, ardaíonn an t-ógfhear a dheasóg féin agus casann cnaipe dearg na fuascailte.

PLÉASC

PLÉASC

"Tá a fhios ag Dia go bhfuil an tír seo á milleadh ag na bastaird. Iad ag teacht isteach anseo ag ceapadh go bhfuil gach ceart acu is atá ag dúchasaigh na tíre. Friggin' Pacastánaigh! A leath acu ar an mbloody dól agus an leath eile ag bunú gnólachtaí agus ag dul i gcomórtas le mo leithéidse. A Chríost! Shílfeá go ndéanfadh an rialtas rud éigin fúthu seachas dul in oiriúint dóibh, mar a dhéanann. Ach, by daid, déanfaidh mise rud éigin faoin bPacaí gránna céanna. Déanfaidh mis …"

Is ag an bpointe sin sa radaireacht a shleamhnaíonn Aoife amach trí chúldoras an tí i nganfhios do Bhreandán. B'fhearr i bhfad di é dreas ama a chaitheamh lena cara, Deirdre, a bhfuil cónaí uirthi san eastát céanna, ná cur suas le rámhaille seo a fir céile. Níl stop air oíche i ndiaidh oíche le mí anuas nó mar sin. Ach tá binb bhreise ina chaint aige le deireanas, binb nach raibh le sonrú ann nuair a thosaigh sé ar an gcnáimhseáil seo ar dtús. Rian den naimhdeas, rian den chiníochas, rian den bhfoiréigean ar gach a bhfuil á rá aige.

É ag dul dian ar Aoife agus í ag éisteacht leis a chreidiúint gurb é seo an fear céanna ar thit sise i ngrá leis na blianta siar. Ar éigean a aithníonn sí anois é i gcomparáid leis an bhfear mánla séimh úd ar chuir sise aithne air nuair a chas siad ar a chéile ar dtús. É pléascach ag an am sin leis, ach pléascach in aghaidh na héagóra, in aghaidh na mímhoráltachta, in aghaidh na cneamhaireachta. Is ait léi é gur ar a mhalairt de shlí ar fad atá sé ag casadh amach anois. É caomhnach cúng dúnta. Is é bun agus barr na faidhbe aige ná gur oscail Pacastánach — Karim Amstrad — siopa taobh le siopa Bhreandáin cúpla mí ó shín.

"Bheadh sé dona go leor dá mba shiopa grósaera nó siopa nuachtóra é," arsa Breandán ag an am, "ach seo!"

An 'seo' a bhí i gceist, ar ndóigh, ab ea gur siopa éadaí na bhfear a d'oscail Karim, díreach mar atá ag Breandán féin.

"Dhá shiopa éadaí na bhfear buailte taobh le chéile! Huth! Ní cheadófaí é i dtír ar bith eile ar domhan," arsa Breandán. "Dá mba Éireannach a bheadh ag iarraidh é a dhéanamh," ar sé, "d'fhéadfá a bheith bloody cinnte de nach gceadófaí é."

Is léir do Aoife ar an ráiteas deireanach sin gur mó is cás do Bhreandán dath chraiceann an duine a bhfuil an siopa aige ná an comórtas eacnaimiúil féin. Ach cuir anuas air sin go bhfuil tosaithe ag Karim ar earraí atá gach pioc chomh maith leis na hearraí atá i siopa Bhreandáin a dhíol ar phraghasanna i bhfad níos ísle ná praghasanna an Éireannaigh, agus tá faobhar eile fós ar an scéal. Thuigfí ansin, b'fhéidir, mar atá an nimh casta ina ghoimh i gceart.

Ach intinn Bhreandáin ar fiuchadh i ndiaidh d'Aoife bailiú léi amach. Gangaid a chuid smaointe ag méadú air féin dá mhéad a thugann sé suntas don olc atá air. A shamhlaíocht imithe le sruth ar fad. É dona go leor go bhfuil a smaointeoireacht in anchuma cheana féin, shílfeá, ach is measa i bhfad é, dáiríre, ná mar a thuigeann Aoife. Breandán cinnte de ag an bpointe seo nach raibh aon ghné den timpiste nó den chomhtharlúint ag baint le hoscailt siopa Karim in aice lena shiopa féin an chéad lá riamh. A mhalairt ar fad a chreideann sé. Sea! Dar leis, 'séard atá ann ná seo: pleanáladh é seo uile sa Phacastáin féin cúpla bliain roimhe seo. Is cuid de mhórphlean idirnáisiúnta é a dréachtadh san Áis agus trína nglacfaidh Pacastánaigh seilbh ar ghnólachtaí i bpríomhchathracha éagsúla ar fud an domhain. Osama Bin Ladin féin atá taobh thiar den iarracht, dar le Breandán. Agus roghnaíodh aonad in Éirinn in aice lena shiopasa, agus é mar aidhm aige go mbrisfí gnó Bhreandáin trí earraí a dhíol as an aonad úr ar phraghasanna ísle.

Gan aon cheist á cur air féin ag Breandán, go fiú, cé a bhacfadh le gnó beag mar é i gcomhthéacs an domhain mhóir eacnaimiúil. Cén fáth? Cén chiall? Ach, dá mbeadh a fhios ag Aoife i gceart chomh mór in ainriocht is atá smaointeoireacht Bhreandáin, is faoi chúram dochtúra a chuirfeadh sí é láithreach.

Dánacht an Phacaí úd, a shíleann Breandán, sotal an Phacaí, peaca an Phacaí. Sea, peaca! Agus áit a dhéantar peaca, tá aithrí le déanamh dá réir, dar leis. Agus, by daid, má tá rud ar bith á ardú féin in intinn Bhreandáin anois, is é go ndéanfaidh an Pacastánach lofa úd aithrí cheart as an treascairt atá déanta aige. Sea, aithrí!

Leagan amach an tsiopa á chíoradh ina intinn anois ag Breandán. Aonad Karim díreach ar aon dul lena shiopa féin ó thaobh dearadh de. An príomhspás taispeántais mar an gcéanna iontu, an oifig bheag ar chúl, an coire ola don teas lárnach, doirsín beag an lota sa tsíleáil, go fiú. Doirsín beag an lota! Sea, gach aon rud ar aon dul lena chéile sa dá áit.

Ach praghasanna na n-earraí! Sin í an áit ina bhfuil an difríocht. Sin í an áit ina bhfuil bob á bhualadh ag Karim air, dar le Breandán. Gan ach an t-aon rud amháin le déanamh faoi, a shíleann sé: caithfear an goirmín beag lofa a stopadh. Ach cén chaoi len é sin a dhéanamh? É ag déanamh a mharana ar an gceist sin tamall nuair a thagann an smaoineamh chuige. Gile sna súile air. Iad ar bior i logaill a chinn istigh. Gile na mire, dáiríre. Sea, sin é é, a shíleann sé. Éiríonn sé, caitheann air a chóta agus buaileann leis go craosach an príomhdhoras amach.

In imeacht chúig nóiméad, tá sé ag doras a shiopasa. Tóirse ina dheasóg aige agus soitheach plaisteach paraifín sa leathlámh eile. Isteach sa siopa leis agus aimsíonn sé a threo le solas an tóirse seachas príomhsholas an tsiopa a lasadh. Go ró-éasca a tharraingeodh sin aird an phobail oíche Dhomhnaigh.

É faoi riar ag an nimh; ag an mire. Greim ag an dá dhealg sin air idir ghluaiseacht agus smaoineamh. Ní cuimhin leis cén chaoi a dtarlaíonn sé é a bheith sa lota os cionn a shiopa cheana féin. Díríonn sé ga solais an tóirse i dtreo áit Karim agus feiceann nach bhfuil aon fhalla idir an dá lota. Gluaiseann sé i dtreo dhoras lota Karim, aimsíonn an laiste uachtair agus scaoileann. Ansin, de chic na sála ar an doirsín, briseann sé an laiste íochtair agus titeann an doras go hurlár i siopa Karim. Agus súnn Breandán an deis atá anois thíos faoi isteach ina scamhogá, ina anam, ina chroí. Croí anois atá ag cur thar maoil lena bhfuil de ghoimh ann. Agus íslíonn sé é féin.

Breandán anois ina sheasamh i gceartlár urlár shiopa Karim. Solas an tóirse á aistriú go heitleach ó seo go siúd go heile. Pluaisín an choire ola ar cúl an tsiopa aimsithe aige gan aon deacracht. Gluaiseann sé a fhad leis sin, baineann caipín den tsoitheach plaisteach atá á iompar aige i gcónaí agus doirteann amach an leacht go fial flaithiúil féiltiúil. Cúlaíonn sé agus freangann soicind nuair a shruthlaíonn boladh an pharaifín aníos trína pholláirí. Uisce lena shúile anois de thoradh chumhacht na gaile. Cuimlíonn sé na deora agus díríonn athuair ar a bhfuil le déanamh.

An uile bhraon den pharaifín diúgtha anois aige agus lasann sé an cipín solais. Damhsaíonn lasair an chipín in imrisc an dá shúil air agus is léire anois an mire iontu thar mar a bhí riamh. Scátha diamhracha dorcha ag pramsach ar a éadan cheana féin. Leathann meangadh mioscaiseach ar a bhéal soicind. Ansin, de smeach na méar, scuabann sé an cipín lasta i dtreo an leachta.

"Basta-a-a-a-a-ard!" ar sé, de ghlam fhada fhagharthach mhailíseach.

De phlimp a léimeann na bladhmanna san aer, iad gorm-bhuí den chuid is mó. Scuabadh teasa ina shruth chuige láithreach. Caitear Breandán siar le tobainne na lasracha agus buaileann sé a chloigeann go láidir in aghaidh ursain an dorais. Mearbhall air. Gan a fhios aige an ann nó as dó. Ach na lasracha ag léim san uile threo. Cuid díobh ag déanamh ar Bhreandán féin, ach is mó go ndamhsaíonn siad go bagrach ar an gcoire ola. Iad á róstadh, á alpadh, á leá. Péint mhiotalach an choire á ithe ag na bladhmanna. An phéint á cúbadh féin ina chalóga faoin teas agus na calóga ansin ag déanamh neamhní díobh féin.

Agus, leis sin, pléasc. Pléasc a scuabann gach a bhfuil sa phluaisín chun na ceithre hairde. Réabann na lasracha leo go fealltach as an bpluaisín, scuabann leo tríd an siopa agus, as sin, aníos trí pholl an lota. Lasracha. Iad rábach ransach raspanta. An uile ní ina fhoirnéis. Agus ansin, an dara pléasc. Pléasc ar mó i bhfad é ná an ceann a d'imigh roimhe. Agus, den ala sin, scuabtar gach a bhfuil sa siopa ina dhiúracadh foiréigneach amach go spleodrach trí fhuinneog thosaigh an tsiopa.

"A Mhuire Mháthair! Céard sa diabhal é sin!" arsa Aoife, agus leagann sí uaithi an cupán caifé ar bhord na cistine i dtigh Dheirdre. Súile na mban á leathnú agus iad ag breathnú ar a chéile.

"Níl a fhios agam ó thalamh an domhain," arsa Deirdre, agus éiríonn an bheirt agus déanann de rúid caoldíreach ar dhoras tosaigh an tí. "Rud éigin thíos fán mbaile féin, is cosúil, a Aoife. Cuma pléascáin air thar rud ar bith eile, dáiríre, cheapfainn."

ÉAD

ÉAD

An fón á chur ar ais sa chliabhán ag Rita tar éis di labhairt le sáirsint na ngardaí. Iad ar an mbealach taobh istigh d'uair an chloig, a dúirt sé léi …

Í ina suí ag a deasc agus í ag déanamh a marana ar a bhfuil tarlaithe. Snáthaidín beag solais idir ursain agus doras ag éalú isteach ón halla, áit nach bhfuil doras na hoifige iomlán druidte aici. Is d'aonghnó nach lasann sí príomhsholas an tseomra. Is leor é an solas preabarnach atá á theilgean isteach trí'n fhuinneog ag an gcomhartha neon lasmuigh le go bhfeice sí go bhfuil an t-airgead imithe as an tarraiceán. Gach uair a chaitear deirge íomhá na bhfocal 'Ribí Rita — Gruagaire' ar bhallaí bána na hoifige, léimeann an fhianaise aníos sna súile uirthi. Folamh. Imithe. 500 euro eile. An tríú goid in imeacht coicíse. Sin gar don 1,000 euro san achar gearr sin. É ag dul dian uirthi a chreidiúint gurb í Svetlana an gadaí. Go deimhin, nár dhiúltaigh sí glan do thuairim a hiníne, Sandra, nuair a luaigh sise léi go mb'fhéidir gurbh í Svetlana a rinne an chéad ghoid.

Rita mórtasach aisti féin thar na blianta as chomh maith agus a roghnaíonn sí a cuid fostaithe. Suas le scór ar an bhfoireann aici faoi seo, nuair a thógtar na salóin ghruaige ar fad san áireamh. Ach é mar pholasaí aici i gcónaí plúr na ngruagairí a choinneáil sa cheannáras. Agus, dá mbeadh uirthi plúr an phlúir sin a roghnú riamh, 'sí Svetlana a bheadh mar chéad rogha aici gach aon uair. An bhean óg Chróatach sa tír le trí bliain go leith anuas ag an bpointe seo. Ar ndóigh, is maith is eol do Rita sin. Nárbh í féin ba mhó ba chúis le stadas dlíthiúil a bhaint amach don eachtrannach. Rita a thug post di, Rita a scríobh míle litir chuig na húdaráis ag déanamh cáis di, Rita a thug cuidiú airgid di nuair ba ghá sin. Agus an cailín céanna ina sárghruagaire. Go deimhin, chruthaigh sí chomh maith sin sna salóin eile in imeacht na mblianta sin gur bheartaigh Rita í a chur sa phríomhionad le cúig seachtainí anuas.

Ach é seo anois mar bhuíochas air sin uile! Tá a fhios ag Dia, dá mbeadh airgead le cur air ag Rita, 'sí Bairbre — ceann eile de na gruagairí — an té a mbeadh sí in amhras fúithi. Tuairim ag Rita go bhfuil an tsaint mar shaintréith ina déanamh ag Bairbre. Corr rud beag a d'imigh ar siúl as an siopa cheana thar tréimhse na mblianta agus Rita gar do bheith cinnte de gurbh í Bairbre a thóg. Ach gan a chruthú sin riamh aici. Ach anois, b'fhéidir nárbh ea ar chor ar bith.

"Tá sé imithe arís, an bhfuil, a Mham?" arsa Sandra, agus lasc an tsolais á bhrú aici agus í ag siúl isteach san oifig. Baineann glór a hiníne siar as Rita soicind, í á ropadh as domhan an smaoinimh ag an gcaint.

"Tá," ar sí. Rian an díomá le sonrú ar an bhfocal aonar féin.

"Cé méid an uair seo é, hmm?"

"Cúig."

"Cúig! Cúig chéad atá tú á rá, ab ea?"

"Sea, cúig chéad. Sin aon mhíle euro in imeacht coicíse."

" Naoi gcéad caoga, a Mham. Dhá chéad ar dtús, ansin dhá chéad caoga, agus anois cúig chéad. Sin naoi gcéad caoga ar fad."

"Sea, ceart agat. Naoi gcéad caoga," arsa Rita, go smaointeach.

"Dúirt mé leat é, a Mham. Í féin arís! An bhitseach bheag de Chróatach."

"Fuist go fóill beag, a Sandra. Níl aon chruthú ann go —"

"Cruthú! Cruthú, a Mham!" Cuma teasaí ar chaint Sandra soicind. " 'S nach bhfuil an t-airgead imithe! Céard eile atá uait mar chruthú?"

"Ó, níl a fhios agam! Tá a fhios ag Dia, má bhí duine ar bith a raibh mé in amhras fúithi, dáiríre, ba í Bairbre an duine sin."

"Bairbre!" arsa Sandra, agus rian an iontais uirthi.

"Sea. Ach ná bac sin. Fanaimis féachaint céard a tharlaíonn nuair a thagann na gardaí."

Siar bainte as Sandra soicind. "Na gardaí!" ar sí.

"Sea. Measaim gur fearr iad a thabhairt isteach sa scéal ag an bpointe seo, nach dóigh leat? Tá mé tar éis glaoch orthu cheana féin."

"Sea! Sea, is dóigh liom go bhfuil tú ceart, anois go

ndeir tú liom é," arsa Sandra. "Ceart ar fad," ar sí, agus
í an-deimhnitheach agus í á rá anois. Ansin caitheann sí
sracfhéachaint ar a huaireadóir: "Ó, a dhiabhail!" ar sí.
"Féach an t-am. Tá seampú agus cur gruaige le déanamh
agamsa thíos ag ceathrú tar éis." Agus bailíonn sí léi go
deifreach síos go dtí an salón.

Éiríonn Rita, téann a fhad leis an doras agus dúnann,
ansin filleann ar a deasc agus suíonn. Príobháideachas
arís. An tuiscint gurb í Svetlana is dóchúla a rinne an
ghadaíocht ag dul dian uirthi. Sórt comhartha ceiste
caite ar bhreithmheas Rita féin, ar bhealach. Ba chuma,
ach tá an oiread sin tóir ag custaiméirí ar Svetlana thar
aon ghruagaire eile sa cheannáras. 'S gan í ach dornán
seachtain sa phríomhshiopa faoi seo. Agus i gcás na
beirte eile — Bairbre agus Sandra — bhí ar a laghad beirt
chustaiméirí an duine dá gcuid a rinne coinne a lorg le
Svetlana an chéad uair eile. Go deimhin, beirt i gcás
Bhairbre agus triúr de chustaiméirí Sandra. Agus sin é
an slat tomhais ar ghruagaire ar bith i gcónaí, rud a
thuigeann Rita go rímhaith. Rud a thuigeann na
gruagairí eile chomh maith.

Intinn Rita ag dul siar ar fhorbairt an fhill féin. Gan a
fhios ag aon duine de na cailíní — go fiú Sandra —
iomlán na gcéimeanna atá tógtha ag Rita maidir le
plandáil 500 euro an lae inniu sa tarraiceán. I gcás an
chéid ghoid, an 200 euro, shíl Rita ar dtús go mb'fhéidir
nár goideadh é, ach gur lig sí an t-airgead amú de
thimpiste. Ach, nuair a d'imigh an 250 euro cúig lá ina

dhiaidh sin, ba léir gur gadaíocht a bhí i gceist. Ansin comhairle na ngardaí agus tógáil an tríú bhurla airgid inniu.

Cnag ar dhoras na hoifige ar ball a bhriseann isteach ar smaointe Rita. "Sea?"

Brúitear isteach an doras agus 'sí Svetlana atá ann.

"A Rita, tá brón orm cur isteach ort ach tá beirt ghardaí anseo chun labhairt leat."

Siar bainte as Rita ar fheiceáil Svetlana di, ach í ar a dícheall gan é sin a léiriú. Í ag amharc soicind nó dhó ar an mbean óg dhathúil. Í ag iarraidh cur ina luí uirthi féin, d'ainneoin gach fianaise, nárbh í a rinne an ghoid.

"Go breá, a Svetlana, go breá," ar sí. "Tig leat iad a sheoladh aníos chugam. Agus, eh, ar mhiste leat féin agus an bheirt eile teacht aníos ar ball nuair a bhíonn custaiméir deireanach Sandra imithe? B'fhéidir go gcuirfeá sin in iúl do Bhairbre agus Sandra."

Cuma na himní ar éadan Svetlana ar chloisteáil na hachainí sin di. Í stadach soicind nó dhó.

"Cinnte, déanfaidh mé sin," ar sí ansin. Agus imíonn.

É fiche cúig nóiméad nó mar sin sula dtagann na gruagairí aníos. In imeacht an achair sin tá go leor leor pléite ag Rita leis na gardaí — a tuairim féin faoi cé hí an gadaí, ach go háirithe. É dearbhaithe ag na gardaí léi go raibh an chéim thábhachtach bhreise a luaigh siad léi glactha aici roimh an ghoid seo. Cuirtear an Sáirsint Mac Mánais agus an Garda Denise Ní Riordáin in aithne do na gruagairí agus fágann Rita faoin sáirsint an chaint a dhéanamh ansin. Na gnáthchúirtéisí aige leo ar dtús ach ní fada é ag teacht ag príomhphointe an ghnó.

"Ach," ar sé, "is oth liom a rá go ndearnadh goid san oifig seo inniu agus, go deimhin, gur measa ná sin é mar gurb é an tríú goid anseo in imeacht coicíse."

Sandra, Bairbre agus Svetlana ag breathnú ar a chéile agus cuma an iontais orthu triúr. Is cinnte, má tá an gadaí ina measc, go mbeidh sé deacair ar an ngnáthbhealach duine acu a roghnú thar cheachtar den bheirt eile.

"Anois, ba mhaith liom, más é bhur dtoil é," arsa an sáirsint, go ngabhfadh sibh síos staighre in éindí leis an nGarda Ní Riordáin anseo. Ansin ba mhaith liom go dtabharfadh sibh bhur málaí láimhe di le breith aníos anseo. Agus, ar ball beag eile, iarrfaimid oraibh, duine ar dhuine, teacht chun cainte linn anseo."

Fanann an sáirsint go mbíonn an ceathrar imithe sula labhraíonn sé arís. "Anois, a Rita, cuimhnigh, tar éis dúinn fáil amach cé acu a bhfuil an t-airgead ina seilbh aici, go bhfuil céim eile fós le glacadh."

Aithníonn Rita ar chaint an gharda go bhfuil an-chúram á ghlacadh aige leis na focail a úsáideann sé.

"Ó, tuigim sin, a sháirsint, díreach mar a phléigh muid ar ball."

"Go díreach é, a Rita, díreach é," ar sé, agus ardaíonn sé cás beag dubh a bhí á iompar aige nuair a tháinig sé chun an tí. Ansin leagann sé uaidh ar leataobh é.

Mionchnag ar dhoras na hoifige agus isteach le

Denise Ní Riordáin athuair. Leagann sí málaí na ngruagairí ar chlár na deisce.

"Sin iad anois iad na málaí: Sandra, Svetlana, Bairbre," ar sí, agus cuireann sí lámh le chaon mhála de réir mar a luann sí ainm na mná ar léi é.

Tagann an sáirsint ar aghaidh agus scarann sé na málaí óna chéile ionas go bhfuil mála amháin ag ceann na deisce agus mála eile ag an gceann eile de. Agus, ar ndóigh, an tríú mála i lár.

Sméideann sé a cheann ar Denise agus tagann sise ar aghaidh athuair. Ceann ar cheann, ardaíonn sí na málaí, iompaíonn bun os cionn iad agus doirteann gach a bhfuil iontu amach ar chlár na deisce. Ansin, seasann sí siar fós eile.

Bonn láithreach, sa charn i lár baill, tá burla nótaí fiche euro le feiceáil.

"Svetlana!" arsa Rita.

Druideann an sáirsint i dtreo na deisce arís, ardaíonn an burla agus nascann a shúile de shúile Rita. Ansin bogann sé i dtreo lár an tseomra, baineann nóta amháin as an mburla agus ardaíonn in aghaidh sholas an tsíleála é. Ansin breathnaíonn sé ar Rita athuair.

"X le peann dearg ag trasnú an 20 sa choirnéal clé ar aghaidh an nóta?" ar sé.

Cuma an díomá ar éadan Rita, amhail is go bhfuil duine éigin díreach tar éis saighead a thiomáint trí cheartlár a croí. Croitheann sí a ceann.

"Sin é é," ar sí.

Ansin comhraíonn an sáirsint a bhfuil sa bhurla. "Fiche cúig fá fiche," ar sé. "Sin cúig chéad ar fad as mála Svetlana."

Croitheadh cinn arís ag Rita.

"Ach foighid go fóill beag anois, a Rita," ar sé. "Cuimhnimis anois nach gcruthaíonn sé seo dada seachas go bhfuil sé ina seilbh aici."

Ansin aimsíonn an sáirsint an cás beag dubh a bhí aige ar ball, leagann ar an deisc é agus baineann lampa de chineál éigin as.

"A Denise," ar sé leis an ngarda óg, "duine ar dhuine, más é do thoil é, ach Svetlana ar dtús."

Arís eile fágann an Riordánach an oifig agus leanann an Mánasach air le réiteach an lampa.

"Seo í céim an deimhnithe, a Rita," ar sé. "Tuigeann tú sin, nach dtuigeann?"

"Tuigim," arsa Rita, agus é le feiceáil uirthi go bhfuil sí gar do bheith briste ag méid an díomá a airíonn sí.

"Is fearr agus is ciallmhaire gan aon chúiseamh a dhéanamh go dtí go mbíonn an deimhniú sin againn."

Gan ach an croitheadh cinn ag Rita le caint an tsáirsint an uair seo.

Leis sin, osclaítear an doras agus isteach le Denise Ní Riordáin athuair agus Svetlana in éindí léi. Cuma mhór na himní ar an gCróatach óg. Breathnaíonn sí ar Rita ach níl ar cumas Rita breathnú uirthise.

"A Svetlana," arsa an sáirsint, "mar mhíniú duit ar a bhfuil ar siúl anseo: goideadh airgead as an oifig seo inniu agus friothadh an t-airgead sin cúpla nóiméad ó shin i gceann de na málaí atá anseo ar an mbord." Stopann sé den chaint soicind. É le sonrú ar Svetlana go bhfuil an imní atá uirthi ag méadú go mór.

"Anois, ar chomhairle na ngardaí, chuir Rita anseo púdar ar na nótaí a goideadh. Is púdar é a fhágann rian doscriosta ar chraiceann an té a láimhseálann an t-airgead. Ach ní fheictear an rian sin ach amháin nuair a chuirtear lámha an ghadaí faoi sholas an lampa speisialta seo agam."

Creathán fisiciúil le sonrú ar lámha Svetlana cheana féin. Í féin in ann an t-allas a aireachtáil ar na bosa uirthi. A súile ag scinneadh go neirbhíseach ó dhuine go duine den triúr atá ina láthair.

"Anois, a Svetlana," arsa an sáirsint, "ba mhaith liom go gcuirfeá do dhá lámh, leis na bosa síos, faoin lampa, má's é do thoil é. Ní gá a bheith buartha faoi dhada mura bhfuil aon rud as bealach déanta agat."

Breathnaíonn Svetlana sa dá shúil ar an sáirsint, ansin íslíonn a súile féin athuair agus síneann a dá lámh go mall faiteach isteach faoi sholas an lampa. Cromann an sáirsint ar aghaidh agus feiceann nach bhfuil rian ar bith den bpúdar le feiceáil ar chúl lámha Svetlana.

"Agus anois, leis na bosa ag breathnú aníos, le do thoil," ar sé. Agus iompaíonn sí na lámha dá réir."

Druideann an sáirsint níos gaire do na lámha anois agus breathnaíonn go grinn géar orthu. Ansin, ardaíonn sé a chloigeann, féachann ar Rita agus fógraíonn go deimhnitheach: "Glan! Gan rian ná smid de rian."

Faoiseamh láithreach le sonrú ar éadan Rita. Faoiseamh freisin ar éadan Svetlana agus, ansin, na deora ag titim. Agus, ina dhiaidh sin arís, í ag caoineadh go fras tréan smeacharnach. Sméideadh cinn an tsáirsint le Denise agus tógann sí an ógbhean go caoin tuisceanach as an seomra.

Faoiseamh Rita casta ina mhearbhall anois, agus í ag druidim le tuiscint úr.

"Bhuel, ní hí Svetlana an gadaí, ar aon chaoi," arsa an sáirsint.

"Bairbre!" arsa Rita. "Bhí mé in amhras fúithi le tamall anuas, ach níor theastaigh uaim duine ar bith a dhamnú go héagórach. Agus ansin, nuair a luaigh Sandra Svetlana, shíl mé —"

"Bhuel, féach," arsa an sáirsint, agus é ag cur isteach uirthi, "ná habraimis a thuilleadh ag an bpointe seo. Téimis ar aghaidh leis an mbeirt eile, ach, anois is go bhfuil sin ráite agat, b'fhéidir gur fearr Bairbre a fhágáil go dtí an deireadh. Seans ann, an dtuigeann tú, go n-admhóidh sí an choir go fiú sula gcuirtear aon teist uirthi ar chor ar bith."

Croitheann Rita a ceann mar léiriú don tsáirsint go n-aontaíonn sí lena bhfuil á rá aige. Sórt buille eile é seo dá féinmhuinín, dá cumas breithmheasa, ar bhealach. Leis sin, tagann an Riordánach isteach an doras arís.

"Tá sí croite beagáinín ach tá sí ag teacht chuici féin," ar sí, agus í ag tagairt do Svetlana. "Tá cupán caifé á ghlacadh aici thíos staighre."

"Togha," arsa an sáirsint. "Anois, ar fáthanna straitéise a mhíneoidh mé duit ar ball, a Denise, déan Sandra a sheoladh chugainn roimh Bhairbre, le do thoil." Agus imíonn an garda óg.

In imeacht fiche soicind filleann Denise, agus Sandra ina teannta. Aithníonn an gruagaire láithreach go bhfuil a Mam croite ag pé rud a tharla roimhe seo. Tagann sí chuig Rita agus beireann barróg uirthi.

"Anois, a Sandra," arsa an sáirsint, "tuigim ó bheith ag caint le do Mham go bhfuil a fhios agat cheana féin faoin ngoid. Mar sin, is dócha nach gá dul trí mhíniú fada ar bith leat. Is leor a rá gur friothadh an t-airgead agus nach i do mhála-sa a bhí sé. Ach, ar mhaithe le hoifigiúlacht, tá mé chun iarraidh ort do dhá lámh a chur isteach faoi sholas an lampa anseo. Isteach 's amach, rud sciobtha. Ní thógfaidh sé cúig soicind féin ort."

"Siúráilte," arsa Sandra, í lánmhuiníneach aisti féin toisc a bhfuil ráite ag an sáirsint cheana féin.

Isteach lena lámha faoin lampa ar an bpointe agus breathnaíonn an sáirsint. Ach, má bhreathnaíonn féin, baintear siar aisteach as ag a bhfeiceann sé. Cúlaíonn sé soicind. É ar a dhícheall gan aon rian den iontas a léiriú. Ansin druideann sé ar aghaidh arís agus feiceann sé an fhianaise den dara huair. Tagann Rita agus Denise a fhad leis an lampa anois.

"Agus," arsa an sáirsint, agus é ag iarraidh a bheith

réidh tomhaiste sa chaint, "dá ndéanfá na bosa a iompú aníos, le do thoil."

Agus déanann Sandra amhlaidh. Agus ansin, thíos faoina súile uile, lámha an ghruagaire ag damhsa go dearg-ghlioscarnach agus rian an phúdair le feiceáil ar an uile phóir dá craicinn.

"Ach," arsa Sandra, agus tarraingíonn sí amach na lámha, "bhí —"

"Sandra!" arsa Rita. "Sandra!" Agus titeann Rita siar ar a cathaoir agus caitheann a héadan ina dá lámh.

"Plandáil, a Sandra, nach ea?" arsa an sáirsint.

Cathú ar Sandra soicind diúltú don chúiseamh sin ach, leis sin, croitheann sí a ceann agus déanann é a ísliú ansin.

"Ach, a Sandra, cén fáth? As ucht Dé, a chailín, cén fáth?" arsa Rita, agus í ag breathnú amach ar a hiníon trí mhéara spréite a lámha.

"Svetlana, nach ea, a Sandra?" arsa an sáirsint. "Éad, nach hin é?"

Croitheann Sandra a cloigeann mar dheimhniú ar léamh an tsáirsint a bheith cruinn ceart. "An bhitseach!" arsa Sandra faoina hanáil, "í ag goid mo chuidse custaiméirí!" Ansin cromann iníon an úinéara a cloigeann athuair.

"Ní dóigh liom, a Denise, go gcaithfimid cur isteach ar Bhairbre ina dhiaidh sin féin," arsa an Sáirsint Mac Mánais.

BOLGCHAINT AGUS SCÉALTA EILE
le
Ré Ó Laighléis

Úr, dúshlánach, ar an sprioc, mar a bhíonn an Laighléiseach i gcónaí maidir le téamaí agus teanga. Arís eile, tá na paraiméadair brúite amach ag máistir-scéalaí na déaglitríochta, díreach mar a rinneadh le *Punk, Ecstasy, Gafa* agus mórán eile roimhe seo. Ré úr, ábhar úr – ábhar do dhéagléitheoirí óga, a thugann aghaidh go dána ar an saol is cás leo. An draíocht, an cheardaíocht, an tsamhlaíocht, an ealaín – iad uile á n-úscadh as na leathanaigh seo ina slaodanna sárscéalaíochta.

"Tá sé déanta cheana ag an Laighléiseach le 'Punk', 'Ecstasy' agus leabhair eile nach iad. Ach seo! Sáraíonn 'Bolgchaint' gach a bhfuil scríofa aige do dhéagóirí óga. Ní fhéadfaí dul thairis mar ábhar d'ardranganna na mbunscoileanna lán-Ghaeilge agus do ranganna ar an dara leibhéal suas go Teastas Sóisearach. Sárscéalaí agus an prós uaidh dá réir. Dúshlánach mealltach snasta."

Mait Ó Brádaigh,
Príomhoide, Gaelscoil de hÍde

"Tá tuiscint sainiúil agus bá as an ngnáth ag Ré Ó Laighléis le riachtanais téamacha agus teanga an déagléitheora óig. Scéalta den chéad scoth ar an uile bhealach iad seo, a bhfuil substaint agus téagar iontu, dúshlán agus síneadh, agus, thar rud ar bith eile, tá gné ríthábhachtach an taitnimh go smior iontu."

An Dr. Aedín Nic Íomhair,
Saineolaí Léitheoireachta, NARA, USA

GAFA
le
Ré Ó Laighléis

Scéal tranglamach croíbhristeach an déagóra Eoin agus a thitim isteach in umar dorcha na handúile agus sa bhfodhomhain gránna dainséarach a ghabhann leis. Agus, chomh tábhachtach céanna le scéal Eoin féin, scéal na dtuismitheoirí: tá saol na máthar, Eithne, ina chíor thuathail. Í ar a dícheall glacadh leis go bhfuil a haonmhac faoi ghreim go daingean ag heroin. Ach is measa fós di é nuair a bhuailtear an dara ropadh uirthi – mídhílseacht a fir céile. Ní chuirtear fiacail san insint i gcás an scéil ríchumhachtaigh seo. É scríofa go fírinneach fíriciúil lom, ach ardscil agus íogaireacht ann go deireadh.

"Tá ábhar an leabhair seo conspóideach nua-aoiseach agus thar a bheith feiliúnach don aoisghrúpa … stíl sholéite inchredte."
An Dr. Gearóid Denvir, Moltóir an Oireachtais 1996

"Ó Laighléis deftly favours creating a dark side of urban life over sledge-hammering the reader with 'Just Say No' messages. The horrors of heroin addiction are revealed within the story itself and, thankfully, the author avoids any preachy commentary."
Educationmatters, *Ireland on Sunday*

"Gafa inhabits the world of well-off middle-class Dublin of the late 1990s with all its urban angst, moral decay, drug addiction, loneliness and teen attitudes and problems." **Patrick Brennan, *Irish Independent***

"Iarracht an-mhacánta é seo ar scríobh faoi cheann de mhórfhadhbanna shochaí an lae inniu … píosa scríbhneoireachta an-fhiúntach."
Máire Nic Mhaoláin, Moltóir an Oireachtais 1996

"It is a riveting story based on every parent's nightmare."
Lorna Siggins, *The Irish Times*

"Ré Ó Laighléis speaks the language of those for whom this will strike a familiar chord. If it makes people stop and think – as it undoubtedly will – it will have achieved more than all the anti-drug promotional campaigns we could ever begin to create." **News Focus, *The Mayo News***

"Ó Laighléis deftly walks that path between the fields of teenage and adult literature, resulting in a book that will have wide appeal for both young and older readers." **Paddy Kehoe, *RTÉ Guide***

"The book pulls no punches and there are no happy endings."
Colin Kerr, *News of the World*

Tá na leabhair seo leanas ar fáil trí'n bpost ó MhÓINÍN ar na praghasanna thíosluaite (móide costas an phostais)* ach an fhoirm ordaithe ar chúl an leabhair seo a líonadh agus a sheoladh chuig MÓINÍN, Loch Reasca, Baile Uí Bheacháin [BALLYVAUGHAN], Co. an Chláir, nó glaoch ar (065) 707 7256.

Goimh agus scéalta eile (ISBN 0-9532777-4-7)	€7 agus postas
Bolgchaint agus scéalta eile (ISBN 0-9532777-3-9)	€7 agus postas
Gafa [Seanstoc srianta] [Eagrán nua]	€5 agus postas €8 agus postas
Terror on the Burren (ISBN 0-9532777-0-4)	€8.50 agus postas
Hooked (ISBN 0-9532777-1-2)	€7.50 agus postas
Heart of Burren Stone (ISBN 0-9532777-2-0)	€10 agus postas
Ecstasy and Other Stories [Seanstoc srianta]	€5 agus postas

* Lacáiste 10% do scoileanna ar orduithe os cionn 20 cóip.

FOIRM ORDAITHE

Teideal *Title*	Praghas* *Price*	Líon Cóipeanna *No. of Copies*
Goimh agus scéalta eile	€7	[ ]
Bolgchaint agus scéalta eile	€7	[ ]
Gafa	€5 [Seanstoc]	[ ]
	€8 [Eagrán nua]	[ ]
Terror on the Burren	€8.50	[ ]
Hooked	€7.50	[ ]
Heart of Burren Stone	€10	[ ]
Ecstasy and other stories	€5	[ ]

* P&P le n-íoc anuas ar na praghasanna thuas

Lúide 10% do scoileanna ar orduithe os cionn 20 cóip.

AINM _____

SEOLADH _____

_____

_____

FÓN/FACS _____

IOMLÁN ÍOCAÍOCHTA (IN EURO AMHÁIN) €_____ (*le líonadh*)

Seiceanna/orduithe poist/orduithe airgid chuig:
MÓINÍN
Loch Reasca, Baile Uí Bheacháin [BALLYVAUGHAN]
Co. an Chláir, Éire
Fón/Facs: (065) 707 7256
Ríomhphost: moinin@eircom.net